Y PALMANT AUR

Cwilt Rhacs

Y drydedd gyfrol

Manon Rhys

Argraffiad cyntaf—1999

ISBN 1 85902 788 1

Seiliwyd y gyfres deledu a'r gwaith hwn
ar syniad gwreiddiol gan Richard Lewis.

Dymuna'r awdur a'r cyhoeddwyr ddiolch i S4C am y lluniau.

Dymuna'r cyhoeddwyr gydnabod cymorth
Adrannau Cyngor Llyfrau Cymru.

Argraffwyd yng Nghymru gan
Wasg Gomer, Llandysul, Ceredigion.

I'm 'cnitherod Llundain:
Jill Stobbs a Charlotte Vaughan,
gyda diolch am sawl stori.

Diolch i Wasg Gomer ac i Gyngor Llyfrau Cymru
am eu cymorth a'u cefnogaeth.

A diolch arbennig i Jim.

GWANWYN, 1941

A sŵn grŵn bygythiol y seiren yn eu clustiau, mae trigolion Llundain yn diflannu fel llygod mawr i'r twneli tanddaearol. Yno, yng nghrombil y brifddinas, y byddan nhw'n llochesu'n amyneddgar am awr neu ddwy nes i beilotiaid y *Lufftwaffe* flino ar eu sbort ac i'r seiren ddatgan yr *All Clear.* Bryd hynny y byddan nhw'n gwybod eu bod yn saff am y tro – tan y tro nesaf. Tan nos fory.

Cyflawni'r ddefod feunosol yn gyflym a diffwdan – dyna'r nod. Os mai hon yw'r gêm, gêm gelyn sy'n credu mewn chwarae'n galed, rhaid derbyn y rheolau neu wynebu'r canlyniadau, sef dioddefaint a marwolaeth. Oni chlywsant yr awyrennau uwch eu pennau bob nos ers misoedd? Oni chlywsant y ffrwydradau? Oni welsant strydoedd cyfagos yn dymchwel, a pherthnasau a chymdogion yn gelain? Maen nhw'n rhan o'r digwyddiadau erchyll a groniclir yn y papurau ac ar y *wireless.* Ac mae'r cyfan yn eu huno'n un teulu mawr, dewr a dioddefus.

Dyma nhw, y ddynoliaeth gyfan, pobol o bob lliw a llun, rhai yn cario'u plant a'u babis, rhai yn llusgo'u perthnasau oedrannus, rhai yn rhoi help llaw i ddieithriaid rhonc, ambell un yn gwthio'i ffordd yn ddiamynedd, ac ambell un yn dirgel fagu bag neu gês neu gwdyn sy'n drwm o arian neu eiddo gwerthfawr.

Mae John, sy'n gwisgo helmed wen a lifrai tywyll *Air Raid Warden,* yn sefyll wrth y fynedfa i Orsaf Paddington gan gyfarwyddo pobol i frysio'n ddisgybledig. Mae golwg ddigon pryderus ar ei wyneb gan nad yw eto wedi gweld Lizzie, ei wraig, nac Olwen, ei ferch, yng nghanol y cannoedd a heidiodd heibio iddo. Ond dyma nhw o'r diwedd, Lizzie'n llusgo'r groten fach bwdlyd, ac Isaac ac Annie Jenkins – y naill yn gwthio cart bach ac arno ddau *churn*, a'r llall yn gwthio pram sy'n llawn o frechdanau – yn eu dilyn. Gair sydyn o gyfarchiad, cusan sydyn

i Lizzie ac Olwen, ac mae John yn gorfod troi ei sylw at hen ŵr
a gwraig, y ddau'n eiddil fel dwy bluen, sy'n cael eu cario
gyda'r lli. Mae Lizzie'n troi ac yn gweld ei gŵr yn rhoi ei
freichiau am y ddau a'u tywys at fan llai byrlymus. Ac mae hi'n
gwenu arno'n llawn cariad ac edmygedd.

*

Mae Jennifer, gwraig Daniel Jenkins, yn flin iawn. Does dim
symud arno o'i gadair ledr. Bu'n eistedd yno ers amser, sigarét
yn ei geg, a'i draed yn pwyso ar ei ddesg, yn sgwrsio â Wyn
Pritchard, ei bartner busnes. *'Your partner in crime'* yw
disgrifiad Jennifer ohono pan fydd hi'n teimlo'n fwyn. Ar
adegau gwael, *'the toad'* yw ei henw ar y llyffant diegwyddor, a
Dan yn gwenu wrth gofio mai ei Ewyrth Robert a'i fedyddiodd
gyntaf â'r enw addas hwnnw.

Fe fu'r seiren yn wylofain ers pum munud; mae Timothy, ei
babi blwydd, yn sgrechen yn ei breichiau, a Charlotte, ei merch
seithmlwydd, yn cael un o'i *tantrums* gan wrthod yn lân â mynd
i'r *'stinking shelter'*. A dyma Dan yn pwffian ei fwg yn
hamddenol i lawr y *telephone*.

– Pritchard bach, dim blingo'r gwalch perchennog 'na 'nelon
ni â'n cynnig ni, ond 'i flitzo fe! Ma' arnon ni ddyled fowr i
Mister Hitler am fomo'i ffatri fe a gadel i ni gamu miwn fel hyn!

– *John, I'm not standing here a moment longer! We're going
to the shelter now!*

– *Sorry, Pritchard, 'ave to go. The trouble an' strife's bombs
are at the ready!* Wela i chi fory . . .

Cyn pen dim mae Dan wedi gafael yn llaw ei ferch ac wedi
rhoi ei fraich am ysgwyddau ei wraig, ac mae'r teulu bach yn
mynd allan i'r Anderson Shelter sydd ym mhen draw'r ardd gefn.

– *Come on, Daddy's girl, let's go an' see the fireworks!*

*

Yn nyfnder seler Plas House, Maidenhead, mae'r *1812
Symphony* ar ei hanterth ac ergydion y gynnau a'r tân gwyllt yn
tasgu o'r *wireless* yn wreichion byddarol. Does dim sŵn arall
i'w glywed – heblaw am dap, tap araf bysedd musgrell Robert
ar fraich ei gadair olwyn.

8

Yr wynebau sy'n siarad; pedwar wyneb sy'n dweud y cyfan. Wyneb carreg Robert, ei lygaid hebog yn syllu ar y poteli gwin sy'n llenwi'r silffoedd ar y wal gyferbyn. Grace, nad yw'r mân grychau sydd o gwmpas ei llygaid yn amharu dim ar ei harddwch, yn syllu ar ei gŵr, heb ddatgelu dim o'r hyn sy'n corddi yn ei meddwl. James y bwtler, yn syllu ar ei ddwylo mawr sydd wedi'u plygu'n llonydd ar ei gôl. Petaech yn craffu'n fanwl fe welech ei geg yn symud bob hyn a hyn, a'i fod yn troi ei fodiau'n araf ac yn codi ei aeliau'r mymryn lleiaf, fel petai'n cynnal sgwrs ag ef ei hun. Ac Edith, y forwyn fach. Mae ei llygaid hi'n gwibio'n ddisgwylgar o'r naill wyneb i'r llall, gan ddisgwyl gorchymyn neu gerydd. Ond gwibio i Excelsior Row, Brixton a wna ei meddwl, ac i'r cwtsh-dan-staer lle mae ei thad a'i mam a'i dwy chwaer fach yn cuddio'r funud hon. Mae ei thad-cu a'i mam-gu, ei hewyrth a'i modryb a'i chefndryd bach yn byw yn yr un stryd. Does ond gobeithio, fel y gwna yr adeg hon bob nos, eu bod i gyd yn saff . . .

Mae'r gerddoriaeth wedi peidio, ac mae llais dyn yn cyflwyno'r darn nesaf. Ond y sŵn a glywir dros ei lais sy'n tynnu sylw'r pedwar. Sŵn grwndi awyrennau bob yn ail â sŵn fel taranau yn y pellter . . .

Yn sydyn mae Grace ar ei thraed ac yn chwarae â nobyn y *wireless*. Drwy'r cleciadau mecanyddol a'r pytiau annealladwy mewn ieithoedd estron, fe ddaw o hyd i gerddoriaeth – cerddoriaeth walts y 'Blue Danube'. Mae hi'n gwenu ac yn dechrau dawnsio, ei breichiau'n dynn am ei chorff, ei ffrog goch yn chwyrlïo. Ac yna mae hi'n sefyll i wynebu James ac yn estyn ei breichiau tuag ato. Ciledrychiad ar Robert, a nòd ganddo, ac mae James ar ei draed ac yn pengrymu'n ffurfiol gerbron Grace, sy'n gwneud cyrtsi fach o'i flaen. Ac yna mae'r ddau, y gwas a'r feistres, yn waltsio gyda'i gilydd rownd a rownd y seler gyfyng. Mae Robert yn eu gwylio, ac mae Edith yn ei wylio yntau . . .

*

Yng ngorsaf danddaearol Paddington, er gwaetha'r clawstroffobia a'r anghysur, plant afreolus a grwgnachlyd, sawr cyrff, a phrotest ambell un sydd eisiau llonydd i gysgu, mae 'na chwarae dominos a chardiau, mae 'na dynnu coes a gosod

9

posau, ac mae'r canu cymunedol ar ei anterth. Mae'r breichiau'n chwifio a'r cyrff yn cydsymud i rythm *'Daisy, Daisy, give me your answer, do!'* a *'Maybe it's because I'm a Londoner that I love London town'*. Mae 'na fynd mawr ar de a brechdanau Isaac ac Annie. A thrwy'r cyfan mae 'na fwrlwm o frawdgarwch. Mae rhyw dda ym mhob drwg, medden nhw, a dyw rhyfel ddim yn eithriad.

*

– *Please God, don't let them awful bombs land on us! That horrid Mr Smith in number seven – let them land on him!*

Charlotte sy'n gweddïo, ei dwylo chwyslyd wedi'u clymu'n dynn a'i llygaid wedi'u cau. Mae'r bomiau'n agos heno. Disgynnodd un yn y stryd nesaf gynnau gan ysgwyd y lloches i'w seiliau. Mae Timothy'n sgrechen yn ddi-baid, ac mae wyneb Jennifer fel y galchen. Mae Dan, hyd yn oed, yn poeni, er nad yw'n dangos hynny i'w wraig a'i blant. A nawr mae Charlotte yn cuddio'i hwyneb yng nghesail ei mam, ei llygaid ynghau a'i bysedd yn ei chlustiau. Gafaela Dan yn Timothy a chwarae â'i fysedd bach pwt.

– *This little piggy went to market, this little piggy stayed at home . . .*

Ond does gan Timothy ddim diddordeb yn y gêm, ac fe lefa ar dorri'i galon gan chwifio'i ddyrnau bach yn yr awyr. 'Moch,' meddylia Dan. Hen foch o fwystfilod sy'n gwneud i blant bach diniwed ddioddef fel hyn. Ac yn sydyn fe gofia'r emyn, yr un y bu'n ei ganu droeon – yng Nghapel Gladstone Road, bob tro y byddai rhywun ifanc yn marw; o gwmpas yr harmoniwm yn y Dairy gyda'r nos, pan fyddai ei fam yn teimlo'n felancolic; ac ar lan beddau agored Morgan, ei gefnder, a Marged Ann, ei gyfnither, ym mynwent Brynarfor.

Mae Dan yn canu'n dawel:

– 'Pam y caiff bwystfilod rheibus
　　Dorri'r egin mân i lawr?
Pam caiff blodau peraidd ieuainc
　　Fethu gan y sychdwr mawr?'

Ac mae corff bach Timothy'n dechrau ymlacio, mae ei
ddyrnau'n gostwng ac mae ei foechen truenus yn tawelu. Sylla
ar ei dad â'i lygaid glas, wylofus.

> – 'Tyred â'r cawodydd hyfryd
> Sy'n cynyddu'r egin grawn,
> Cawod hyfryd yn y bore,
> Ac un arall y prynhawn.'

Mae Dan yn gafael yn llaw Jennifer ac yn sibrwd wrthi.
– *We'll be all right . . .*
Damo'r blydi moch.

*

Drannoeth, yng nghegin Ffynnon Oer, mae Esther Jenkins yn
gwrando ar glonc Sianco'r postman ac yn ei wylio'n llwytho
siwgwr i'w de.
   – Conshis o bobman lan sha'r fforest, sôn bod Italians yn dod
i'r camp 'na'n Henllan. Dyw'r peth ddim yn reit. A beth am y
landgirls 'ma wedyn? Ma'r rheiny o bant hefyd on'd y'n nhw?
Dieithred fydd yn yr ardal 'ma i gyd! O, wy'n gweud 'thoch chi,
Mrs Jenkins fach, fydd hi gered 'ma, whap!
   A hithau wedi cyfri tair llwyaid o siwgwr yn llifo i'w de, mae
gan Esther Jenkins ateb parod iawn.
   – A ma'n rations siwgwr inne'n magu tra'd yn glou 'fyd,
Sianco Rees!
   Mae hi'n dyheu am weld cefn yr hen bostmon rhadlon er
mwyn iddi gael llonydd i agor y llythyr a gyrhaeddodd o
Aldershot.

*

– *Congratulations, Jenkins. You've cracked the code.*
   Mae'r swyddog yn rhoi un tap terfynol i'r bwrdd du cyn
sodro'i gansen o dan ei fraich a gwenu ar y milwyr sy'n eistedd
o'i flaen.
   – *Gentlemen, Taffy's cracked the code!*

11

Mae pawb yn chwerthin, pawb ond Ifan Enoc Jenkins, sy'n dal i graffu ar y cawdel o lythrennau ar y bwrdd du.

– *He's made sense of all the jumble. Thanks to him we can now go on to steal the information and pass it on. But of course, Jenkins, you, of all people, know everything about stealing, eh?*

– *Pardon, Sir?*

– *Come on, Jenkins! 'Taffy was a Welshman, Taffy was a thief', and all that!*

Mwy o chwerthin.

– *We need intelligent thieves like you on the front line, Jenkins. Even though you're Welsh, eh?*

– *Yes, Sir.*

Yng nghanol y chwerthin o'i gwmpas fe gaiff Ifan Jenkins ei demtio i ddweud 'Twll dy din di, Syr', gydag arddeliad. Ond llwydda i ymatal. A chyn iddo gael ei wthio ymhellach gan y pwysigyn bach gwrthun, fe ddaw pwysigyn bach gwrthun arall i mewn i'r ystafell â'r gorchymyn pwysig – ond anarferol iawn – iddo fynd i weld Colonel Devonald yn ei swyddfa, a hynny ar unwaith.

– *At the double, Jenkins.*

– *At the double, Sir!*

*

Ddwyawr yn ddiweddarach mae'r *Taffy* bach, yn llawn penbleth, yn cael ei yrru mewn cerbyd milwrol i lawr y dreif at Plas House, Maidenhead. Dealla mai hwn yw cartref ei ewyrth Robert Roberts, a'i fod wedi derbyn gwŷs ganddo, drwy Colonel Devonald, i ymweld ag ef ar unwaith. Ond does ganddo ddim syniad pam. Dyw e ddim yn nabod y dyn. Mae ganddo gof plentyn o'i gyfarfod ddwywaith, dair efallai. Ond does neb byth yn sôn amdano yn Ffynnon Oer. Dyw e ddim yn cofio i'w enw gael ei grybwyll o gwbl ers blynyddoedd maith. Felly pam y wŷs hon heddiw? Doedd Devonald, yng nghanol ei brysurdeb wrth ateb y ffôn ac arthio gorchmynion ac arwyddo dogfennau, ddim yn barod i ddweud dim mwy na'r ffeithiau moel – fod ganddo feddwl mawr o'i ewyrth, eu bod ill dau'n gynddisgyblion o King's College, a bod Robert yn arwr iddo oherwydd ei allu meddyliol mawr a'i ddawn ar y cae criced.

*– First class brain and a fine opening bat. Right then,
Jenkins, transport has been arranged. Any questions?*
Wrth gwrs bod ganddo gwestiynau. Pam ddiawl bod
dieithryn o hen ewyrth eisiau ei weld? Pam trefnu'r ymweliad
fel hyn, drwy gyfrwng pennaeth milwrol y barics? Beth fyddai
ei neges? A'r cwestiynau hyn sy'n dal i chwyrlïo drwy'i feddwl
wrth i'r cerbyd aros o flaen Plas House, ac wrth i'r bwtler ei
gyfarch a'i arwain i mewn i'r tŷ a thrwy'r cyntedd moethus i'r
parlwr. Yno, mewn cadair freichiau fawr, mae hen ddyn yn
eistedd, ei gorff wedi crebachu, ei wyneb yn llawn crychau
dwfn a'i wallt yn glaerwyn. Mae hi'n dipyn o ymdrech iddo
estyn ei law.

– Ifan! Croeso i ti!

Mae Ifan yn mynd ato ac yn ysgwyd ei law lipa, gan sylwi ar
y gadair olwyn sydd gerllaw. Mae llygaid hebog Robert yn
culhau ac fe wena wên fach drist.

– Mae honna'n ddefnyddiol iawn . . . Be dwi'n rwdlian? Mae
hi'n hollol angenrheidiol. Yr hen goesa 'di mynd, 'sti. Ond tyd,
eistedda. Mae gynnon ni dipyn i'w drafod . . .

Mae hi'n anghysurus o anodd i ddyn eistedd mewn parlwr
moethus gyda dieithryn sy'n syllu'n hir arno heb yngan gair.
Mae Ifan yn difaru'i enaid iddo ddod yma o gwbwl. Ond pa
ddewis oedd ganddo? Does gan filwr cyffredin ddim hawl i
anwybyddu gorchymyn gan ei Gyrnol. Mae'r dyn yn dweud
rhywbeth . . .

– Ifan Bach! Ar ôl yr holl flynyddoedd! Ond nid 'Ifan Bach'
wyt ti bellach! Ifan mawr wyt ti – mawr a thal a golygus. A
galluog hefyd meddan nhw . . . A dwi mor falch ohonot ti . . .

Hanner munud arall o ddistawrwydd yn llusgo heibio ac mae
Ifan ar fin gofyn beth yw'r gêm pan ofynna Robert rywbeth iddo
yntau.

– A sut wyt ti'n dygymod â bod yn y fyddin?

– Iawn, diolch.

– Gresyn am yr hen ryfal yma, yntê? Torri ar draws dy goleg
di. Cemeg oedd dy bwnc di, yntê? Bron cystal â meddygaeth –
ond dim cweit!

Gwên fach drist arall ac yna mae'r drws yn agor a daw'r
bwtler i mewn yn cario hambwrdd o lestri te a thebot a jŵg fach

13

arian. Mae'r forwyn yn ei ddilyn, yn cario brechdanau a chacennau, a'r tu ôl iddi mae menyw y mae Ifan yn ei chofio fel ei Fodryb Grace, chwaer ei Fodryb Annie. Mae hi'n estyn ei llaw ato, ond does dim croeso yn ei gwên.

– Sut wyt ti, Ifan?

– Da iawn, diolch.

– Wy'n falch clywed.

A dyna ni, ei chyfarchiad a'i chroeso mewn dwy frawddeg fach swta, cyn troi i wynebu Robert.

– Wela i di'r prynhawn 'ma, Robert.

– Ia, iawn. Mwynha dy hun – Cariad . . .

Mae'r tyndra rhyngddyn nhw'n amlwg. Mae'r fflach o edrychiad oeraidd a rydd y bwtler i gyfeiriad Grace yn amlwg, fel y mae'r rhyddhad o'i gweld yn hwylio drwy'r drws a'i gau y tu cefn iddi'n amlwg ar wyneb Robert. Y bwtler sy'n torri ar y distawrwydd.

– *Shall I pour, Sir?*

– *Thank you, James* . . .

Tincial y llwyau te a'r llestri *Shelley* gwyn, y llaeth yn diferu'n araf o'r jŵg i'r cwpan, a'r te'n diferu'n araf ar ben y llaeth . . . Sŵn enjin car Grace yn tanio . . . Ifan yn peswch yn nerfus . . . Sŵn car yn diflannu i lawr y dreif . . . Y bwtler yn rhoi clep ar y drws y tu ôl iddo ef a'r forwyn . . . A Robert yn clirio'i lwnc . . .

– Mae'n flin gin i na chest ti fawr o groeso gin dy fodryb Grace. Ac, yn ei habsenoldeb, mi ddyliwn i egluro . . . Tydi hi ddim yn hapus fy mod i wedi dy wahodd di yma heddiw. Ac mi ddeuda i wrthot ti pam. Mae hi'n genfigennus, Ifan. Hen air hyll, ond dyna fo. Mae hi'n cenfigennu fy mod i am gadw cysylltiad â ti ar ôl yr holl flynyddoedd. Tydyn nhw wedi diflannu fel tywod mân rhwng bysadd?

Damo'r hen wên drist yna. Y cyfan sydd ar feddwl Ifan erbyn hyn yw pryd a sut y gall ddianc. Ond mae'r anghysur dirgel yn parhau wrth i'r llygaid hebog gulhau unwaith eto.

– Dwi am ddod yn syth at y pwynt a rhoi cynnig i ti. Ar ganol dy hyfforddiant milwrol wyt ti, yntê?

Daw ateb disgybledig Ifan fel ergyd o wn.

– Do's dim hawl 'da fi sôn . . .

– Chwara teg i ti! *'Careless talk costs lives!' 'Walls have ears!'* Ond dwi isio i ti wbod mai rhyngon ni'n dau fydd popeth ddeudwn ni o hyn ymlaen. Dallt?

Dyw Ifan yn deall dim. Ond yn sydyn, ysa am ddeall mwy, am glywed mwy o'r hyn y mae'r dyn rhyfedd yma'n ei gynnig iddo.

– Mae gin i gysylltiada dylanwadol iawn. Ffrindia mewn swyddi uchel. Pobol fel Colonel Devonald. Ond mi fedra i fynd uwchben hwnnw. Llawar uwch . . .

Gwên gyfrwys iawn sydd ganddo erbyn hyn.

– Dyma fy nghynnig i ti, Ifan. Paid â phoeni ynglŷn â gorfod mynd i'r *Front Line*. Paid â phoeni y byddi di – os ca i ddefnyddio'r term henffasiwn – yn *'cannon fodder'*, fel bechgyn gora'r rhyfal diwetha. Mae bechgyn 'fath â ti'n rhy dda i fod yn *'cannon fodder'*, ac mi fedra i warantu lle diogal i ti tan ddiwadd y rhyfal – pryd bynnag y bydd hynny.

Mae'r ddau'n syllu ar ei gilydd. Gall Ifan deimlo'r gwres yn codi o'i war i'w wyneb. Gall deimlo'r chwys yn ei ddyrnau caeedig. Mae sŵn fel gordd yn taro yn ei ben. Ond fe lwydda, o drwch blewyn, i gadw'i dymer.

– Odych chi'n credu taw cachgi odw i? Odych chi wir yn credu y byddwn i'n styried 'ych 'cynnig' chi, hen gynnig dandin, cynnig rhywun sy'n credu bod 'cysylltiade yn y manne iawn' yn agor dryse, yn gneud llwybre bywyd yn fwy esmwyth?

– Mi wyt ti'n siarad yn huawdl iawn. Ond gad i mi ddeud hyn . . .

– Na!

Mae Ifan ar ei draed, yn sefyll uwchben Robert, ac yn sibrwd yn ei dymer.

– Beth am y bechgyn sy heb 'gysylltiade'? Heb ryw 'Wncwl Robert' a'i hen ffrindie o King's College? Y rhai na fuon nhw erioed yn aelode o'r *First Eleven*? Ydy hi'n iawn iddyn nhw ga'l 'u hala'n *'cannon fodder'* i'r *Front Line*? Ydy hi'n iawn iddyn nhw farw dros 'u gwlad?

Brasgama at y drws, a throi.

– Beth am Alun ac Edwin? Bois yffachol o ddewr sy ar y *Front Line* y funud 'ma! Roioch chi'r un cynnig iddyn nhw? Wel? Do fe? Na, wy'n ame hynny'n fowr! Wedyn stwffwch 'ych blydi cynnig!

15

Ymhen hanner munud mae Robert yn clywed y cerbyd milwrol yn tuchan i lawr y dreif. Ac mae yntau'n ochneidio . . .

*

Ochneidio a wna Lizzie hefyd. Doedd dim llythyr oddi wrth Edwin nac Alun y bore yma eto. Ac roedd gweld Isaac Jenkins yn rhoi ei boster *'BUSINESS AS USUAL, MR HITLER'* ar ddrws y Dairy a'i glywed yn datgan sloganau gwag fel 'ma'n rhaid dal i gredu, Lizzie fach', a ' rhaid peido ildo nawr!' yn ei diflasu'n lân, heb sôn am y gred ffug sydd ar led y bydd yr ymladd wedi dod i ben cyn y Nadolig a'u bod 'nhw' ar fin trechu Hitler unrhyw ddiwrnod. Mae hi'n ei chael yn anodd iawn erbyn hyn i gredu bod unrhyw rinwedd yn y rhyfel. Mae pethau'n mynd go chwith yn rhy aml, cyrchoedd bomio'r dinasoedd yn cynyddu, y diffyg gwybodaeth yn rhemp, a'r bechgyn yn cael eu hanfon dramor wrth eu miloedd. A dim sôn am eu meibion hi ers wythnosau – dyna'i phrif ofid.

Ond nawr, ar ben y cyfan, mae John newydd ollwng y daranfollt y byddai'n syniad da i werthu'r peiriannau gwnïo – ei pheiriannau hi – gan ei bod hi'n bell o fod yn *'BUSINESS AS USUAL, MR HITLER'* yn ei gweithdy. Canlyniad prinder defnyddiau, prinder archebion a chwsmeriaid yn methu'n lân â thalu eu dyledion yw bod y ddau beiriant gwnïo ar y ford dderw yn y stafell gefn yn segur ers wythnosau. Gofid calon yw hyn i Lizzie gan ei bod, drwy gyfuno talent ac ymroddiad a gwaith caled iawn, wedi medru cefnu'n llwyr ar weithio yn y caffi ac wedi llwyddo i greu busnes *dressmaking* llewyrchus. Gwelwyd sawl un o'i gwisgoedd ym mhriodasau'r crach ac mewn partïon crand. Ddwy flynedd yn ôl roedd hi'n cyflogi dwy wniadwraig er mwyn cyflenwi archeb gyson ar gyfer Dickens and Jones. Erbyn hyn, dyw'r peiriannau segur yn gwneud dim heblaw dannod ei methiant. Ond byddai cytuno i'w gwerthu i ffatri leol yn gyfaddefiad terfynol o'r methiant hwnnw.

Cyfuniad o'r holl ofidiau hyn sy'n ei llethu nawr, ac yn peri i'r dagrau gronni yn ei llygaid. Y gofid am ei phlant sy'n gorlywodraethu popeth arall – Olwen yn cael ei magu o dan gawod gyson o fomiau, a'i meibion yn fyw neu'n farw yn Affrica, rhywle. Does fawr ddim y gall John wneud i'w chysuro gan ei fod yntau'n poeni am ei deulu. Y cyfan a wna yw cofleidio'i wraig a sibrwd yr hen ystrydeb cysurlon yn ei chlust:

– *'No news is good news,'* Lizzie fach.

*

Mae'r llythyr yn ddiogel ym mag Esther, a'r neges sydd ynddo'n pwyso'n drwm ar ei chalon wrth iddi gerdded yn araf ar bwys ei ffon i fyny'r lôn i ddal y *bus* chwarter i ddeuddeg i Aberaeron. Gall glywed lleisiau Rhys a Wil y *War Ag.* dros glawdd uchel Cae Glas. Trafod y *'War Effort'* y maen nhw, a'r anogaeth swyddogol i gyd-dynnu a chydweithio er lles cyffredinol y wlad.

– Pawb i neud 'i ran fach gore gallith e, ontefe Rhys?

– Wel gore pwy gynta, weda i, os odyn ni'n mynd i gadw'r Jeris bant. Achos wy'n gweud 'thot ti, nid dim ond hala'u boms drosodd fyddan nhw 'whap.

– Beth 'te?

– Dod draw 'ma 'u hunen!

– Bachgen, bachgen! 'Na hi'n gachu hwch wedyn!

– Sdim iws ildo, 'chan! *'Fight them on the beaches!'* ys gwedodd Churchill.

– Â beth, Rhys bach? Bobo bicwarch, ife?

Mae aradrwr swyddogol y *War Agricultural Committee* yn chwerthin am ben ei jôc ei hun. Mae'r gwladwr hawddgar yn ddigon parod i gyfaddef ei fod yn un o'r rheiny sy'n gwneud 'yn eitha da o'r rhyfel 'ma' drwy weithredu un o bolisïau cyffrous y Weinyddiaeth Amaeth. Helpu ffermwyr i aredig pob cornelyn posib o'u tiroedd yw ei waith, hyd yn oed tir caregog ac anghyfannedd, lleiniau bach llaith a di-haul, a chaeau pori, fel Cae Glas, na phrofodd swch aradr ers blynyddoedd.

– Wy'n gweud 'thot ti, Wil, os na fyddwn ni'n ofalus, nid dim ond y trefi mowr fydd yn 'i cha'l hi, ond ninne fan hyn yng nghefen gwlad 'fyd.

– Jawl, y'n ni'n ddigon saff yn Shir Aberteifi, glei!

– 'Na beth o'n nhw'n 'i feddwl sha Abertawe fis ne' ddou nôl, ontefe! A 'drycha beth sy'n digwydd iddyn nhw! Ma'r awyr yn goch bron bob nos!

– Ond ma' docs pwysig ffor'ny achan, a llond y lle o longe ac oil a phetrol!

17

– A ma' lan y môr 'da ni ffor' hyn! Milltiro'dd o draethe unig
– jyst y llefydd i'r jawled ddod â'u U-boats a'u sybmarîns ganol
nos! 'Na pam y'n ni yn yr *Home Guard* yn cadw llygad ar
bethe.

– Whare teg i chi . . .

– Fe ddyle bois fel ti fod 'da ni!

– Sa i'n fachan dryll.

– Wel, pan fyddi di'n goffod edrych i fyw llygad Jeri rhyw
ddwyrnod, falle fyddi di'n ddigon balch o ddryll!

– Fydde'n well 'da fi edrych i fyw llygad un o'r *landgirls*
bach pert sy ymbytu'r lle! Ac fe fydd 'y nryll i'n barod 'fyd!

Yng nghanol eu chwerthin, mae'r ddau'n rhewi'n sydyn wrth
glywed llais Esther y tu cefn iddyn nhw.

– Rhys, symudest ti'r da bach?

– Dim 'to, Mrs Jenkins.

– Wel fe weden i 'i bod hi'n hen bryd i ti neud.

– Iawn, Mrs Jenkins . . .

Yn sŵn tip-tap ei ffon yn diflannu i fyny'r lôn mae Wil yn
pwffian chwerthin.

– Jawl eriôd, Rhys bach, pam wyt ti'n becso am y Jeris? Fydd
dim gobeth 'da nhw yn erbyn Sarjant Esther Jenkins!

– Field Marshal Esther Jenkins, wyt ti'n 'feddwl!

– Ma' hi'n dipyn o fòs arnat ti, on'd yw hi!

Cic i olwyn y tractor yw ateb Rhys.

*

– Bore da, Mr Harris.

– Shwt y'ch chi, Mrs Jones? Ma' hi'n fore bach ffein, on'd
yw hi? Ody'r bòs miwn heddi?

Mae Martha'n gwenu'n hawddgar ar y ffarmwr boliog,
gwritgoch ac yn ei wahodd i mewn i'w swyddfa.

– Ody – dewch miwn . . . A steddwch.

– Diolch yn fowr . . .

A'i ben-ôl swmpus yn suddo'n drwm i'r gadair o'i blaen, a
Martha'n saff y tu ôl i'w desg, mae hi'n gwenu arno eto.

– A beth alla i neud i chi, Mr Harris?

– Moyn gweld y bòs odw i.

– Fi yw'r bòs 'ma heddi.

– Ble ma' Griffiths?

– Bant ar fusnes.

– Ond fe yw 'nghyfreithwr i.

– A finne sy'n neud 'i waith e heddi. Nawrte, ma'n amser i'n brin . . .

– Alla i byth â thrafod 'y musnes â *chi.*

– 'Na fe 'te. Bore da, Mr Harris.

Fe gaiff y pen-ôl dipyn o ffwdan i godi o'r gadair, ac mae'r wyneb yn gochach nag yr oedd bum munud yn ôl.

– Fe gaiff y bòs wbod am hyn, 'y merch i!

Ac allan ag ef yn ffrom, heibio i'r ddwy ysgrifenyddes, a heibio i Esther, sydd newydd gyrraedd. Poera'i gynddaredd atyn nhw i gyd.

– Weles i eriôd shwt beth! Ma'r hen fyd 'ma wedi cawlo'n rhacs! Gatre ma' lle menyw, glei! Dim mynd â dwgyd jobs y dynon! A fe weda i hyn wrthoch chi hefyd! Fe fentra i swllt nag o's 'na drefen o gwbwl ar 'i haelwyd hi!

Ac allan ag e gan adael pedair menyw'n gwenu ar ei gilydd.

Bum munud yn ddiweddarach, mae Martha wedi darllen y llythyr.

– Ma' fe'n mynd i'r ffrynt, 'te . . .

– Ody . . . Edwin, Alun – a nawr Ifan . . . Ifan Bach o bawb . . .

– O'dd e'n siŵr o ddigwydd.

– 'Se fe 'mond wedi aros gatre i ffarmo.

– Mam, peidwch â dechre 'na 'to, achos twyllo'ch hunan y'ch chi.

– Ie, ti'n iawn . . .

– Alle fe fod wedi gwrthod mynd, a 'na ddiwedd arni.

– Gwrthod mynd i ymladd! Bod yn gonshi! Tynnu rhagor o warth ar 'yn penne ni!

Mae Martha'n cnoi ei thafod. Fe gafwyd sgwrs tin-droi-yn-ei-hunfan debyg i hon sawl tro, ac fel pob tro arall does dim i'w wneud ond gadael llonydd i'w mam ddadlwytho'i hofnau a'i hamheuon yn ei dull huawdl ei hunan.

– Ma'n nhw'n pingo ymbytu'r lle 'ma! Cryts ifenc cydnerth yn cwato lan yn y fforest, yn *esgus* neud jobyn o waith. Ond

19

cachgwn bach y'n nhw – cachgwn bach joglyd sy'n rhy llwfwr i ymladd dros 'u gwlad! A phaid ti â'u hamddiffyn nhw!

Fe roddodd Martha'r gorau i wneud hynny ers misoedd lawer.

– A beth am Luther Lewis? Ma' pobol wedi ca'l hen ddigon arno fe'n pregethu 'i hen bethe lan sha'r ysgol!

– Ma' fe'n pregethu goddefgarwch.

– Goddefgarwch, wir! 'Sdim lle i hwnnw'r dyddie hyn, a'r dyn Hitler 'na'n towlu'i bwyse ymbytu'r lle ac yn ca'l neud fel licith e, a'n cryts bach ifenc ni'n ca'l 'u lladd! 'Na fe, wedes i ddigon. Y peth twpa mas o'dd neud trampyn yn brifathro. So ti'n becso am beth ma' fe'n 'i stwffo i ben Meri?

Mae Martha'n falch o'r hyn y mae Luther yn 'i 'stwffo' i ben Meri. Dyna'r union syniadau eang, cytbwys a dyngarol y byddai hi ei hunan yn dymuno eu 'stwffo' i ben ei merch petai hi'n cael hanner cyfle, yn hytrach na gorfod anghofio'i hegwyddorion, lleddfu'i daliadau a chnoi'i thafod, a dweud dim, fel y gwna'r funud hon.

*

Dyw'r gallu i gnoi ei dafod ddim yn un o rinweddau mawr Wil y *War Ag*. Pan wêl y cyfle i fod yn llym neu'n bigog aiff ati gydag arddeliad. A dyna a wna'r noson honno, ac yntau'n swpera yn Ffynnon Oer cyn ei throi hi am adref ar ôl diwrnod da o waith. Pan ddaw Rhys o'r llofft yn llanc i gyd yn ei iwnifform *Home Guard* a dechrau rhoi polish ar ei sgidiau mae Wil yn tynnu'i goes yn ddidrugaredd.

– Jawl! Rhys bach Ffynnon Oer yn 'i gaci! A ma' fe'n smart iawn 'fyd. Ond gwed wrtha i, nawrte, pryd fyddi di'n dechre ennill dy streips? Ar ôl saethu'r Jeri cynta, ife?

Dyw Wil ddim yn sylweddoli bod hwyl go ddrwg ar Rhys yn barod. Mae tafod miniog Esther Jenkins wedi bod ar waith drwy'r dydd, a hithau'n mynnu ffeindio bai ar bopeth a byth yn dweud dim byd cefnogol, heb sôn am ganmol neu ddiolch. Ond beth sydd i'w ddisgwyl ganddi bellach, ac yntau'n ddim mwy na gwas cyflogedig iddi ers cymaint o flynyddoedd? Twpsyn o was bach ufudd a digwestiwn i'w fam-yng-nghyfraith, i'w ferch, Meri, ac i'w wraig, sy'n gweithio'n hwyr yn ei swyddfa yn Aberaeron heno – eto fyth. Mae ennill diplomas a thystysgrifau'n bwysig i fenyw sydd am ddod ymlaen yn y byd, sydd am gael gwared o'r llacs a'r biswail oddi ar ei hesgidiau, sydd am wisgo esgidiau ffasiynol o ledr meddal, drud yn hytrach na chlocs a *wellingtons*. Wrth frwsio'i esgidiau *Home Guard* yn egnïol mae Rhys yn rhoi ei stamp ei hunan ar rywbeth pwysig iddo, rhywbeth sy'n agos at ei galon, rhywbeth na all neb arall ei reoli na'i ddilorni na'i ddwyn oddi arno, sef hunan-barch a hyder, statws mewn cymdeithas, a'r ymdeimlad fod ganddo yntau, hefyd, ran hollbwysig i'w chwarae ym mywydau pobol eraill. A nawr dyma Wil yn bygwth hynny i gyd drwy ei wawdio – a gwawdio'r unig beth sy'n fodd i'w godi o'i bydew o hunandosturi affwysol. Ac mae Rhys yn ffrwydro.

– Gwed ti rwbeth wrtha *i*, gwboi! Pryd wyt ti'n mynd i ddysgu cau dy geg? A fe gei di ateb hyn i fi 'fyd! O's rhywun yn perthyn i *ti* wedi goffod mynd i ymladd? O's rhywun annw'l i *ti* wedi'i ladd?

Mae'r gyllell fara sydd yn llaw Esther Jenkins wedi aros yn stond ar ganol tafell. Mae hi'n syllu ar y ddau ddyn – y naill a'i lygaid yn pefrio gan gynddaredd, a'r llall yn syllu arno'n ddiniwed. Ond cyn i neb ddweud dim fe dorrir ar y tyndra gan Meri, sy'n rhuthro i mewn yn fyr ei gwynt.

– Dat! Mam-gu! Ma' rhywun dierth yn dod lawr y fron! Ges i shwt ofon! Ma' golwg ryfedd arno fe!

– Beth wyt ti'n feddwl, 'rhyfedd'?

Esther sy'n holi. Mae Rhys yn rhy bysur yn tynnu'i wn o'r bachyn ar y wal ac yn llwytho cetris i'w boced o ddrôr dop y ddresel.

– Od, dierth – alla i ddim â gweud yn gwmws . . .

Mae Rhys eisoes wedi diflannu drwy'r drws, a Wil ar ei ôl. Mae Meri ar fin eu dilyn pan gaiff orchymyn swta gan Esther i aros yn ei hunfan. A does neb byth yn dadlau gydag Esther, dim hyd yn oed ei hwyres fach benstiff.

Wrth syllu drwy'r gwyll draw at y fron, mae Wil yn sibrwd wrth Rhys.

– Gan bwyll, nawr, Rhys. Rhag ofon . . .

– Hisht!

Mae'r cetris wedi'u llwytho, a'r dryll yn barod i'w saethu.

– Ond so ti'n gwbod . . .

– Bydd ddistaw, wedes i! Falle taw Jyrman yw e!

Mae Rhys yn camu'n ofalus tuag at y fron a Wil wrth ei sodlau.

– Rhys, wy'n begian arnat ti! Ma' sens mewn cachu'n dene! A ma' damweinie'n gallu digwydd!

Yn sydyn mae 'na gysgod yn symud rhwng y llwyni. Mae Rhys yn codi'i ddryll ar unwaith, yn anelu ac yn gweiddi:

– *Halt! Who goes there? Friend or foe?*

Rhuthr wyllt rhyw ganllath i ffwrdd yw'r unig ateb. Mae Rhys yn dechre rhedeg, ei ddryll wrth ei ysgwydd a rhyw wawl ryfedd yn ei lygaid.

– *Halt, I say! Stay where you are!*

Mae'r person, pwy bynnag ydyw, yn dal i redeg. Mae Rhys yn aros yn stond gan bwyntio'i ddryll tuag ato.

– *Halt! Or I shoot!*

Mae Wil yn crynu gan ofn, ac yn ysgwyd ei ben mewn anghrediniaeth lwyr. Ond mae'r person wedi aros, ac mae Rhys yn symud tuag ato'n ofalus, ei ddryll yn barod.

– *Hands up!*

Mae'r dieithryn yn ufuddhau ar unwaith ac yn troi tuag atyn nhw'n araf. Ac am y tro cyntaf fe welan nhw ei wyneb gwelw a'r arswyd yn ei lygaid.

– *I have Identity Card . . .*

Mae'r dyn yn symud ei law at boced ei siaced frethyn.

– *No! Keep hands up!*

– *Don't shoot me, please!*

– Wil, cer i moyn 'i garden e.

– Cer i grafu!

Yn sydyn mae'r dyn yn suddo ar ei liniau, ac yn dechrau siarad fel pwll y môr.

– Diolch byth! Bois lleol y'ch chi! Dai yw'r enw – Dai Rees Griffiths, o Lanrhystud. Ar 'yn ffordd i Aberteifi, i weld 'y mrawd. Ond fe dorrodd y car lawr yn Llwyncelyn. Y *radiator* wedi mynd yn ffaliwch. Mynd 'nôl am Aberaeron odw i nawr – i garej Tomi Ifans. Meddwl ca'l *short cut* ffor' hyn – ond ma' hi'n amlwg 'mod i wedi cymryd y troiad rong . . .

– Cariwch mla'n ar hyd y llwybyr 'ma nes cyrhaeddwch chi'r

fforch. Cadwch i'r dde a fe ddowch chi at y ffordd fowr i Aberaeron.

Wil sy'n siarad. Y cyfan y gall Rhys ei wneud yw syllu'n syfrdan ar y dieithryn. Ond erbyn hyn mae hwnnw wedi codi ar ei draed ac yn ei baglu hi fel dyn gwyllt ar hyd y llwybr. Mae Wil yn troi at Rhys, yn rhoi ei fraich am ei ysgwyddau ac yn tynnu'r dryll o'i afael.

– Ti'n iawn?

Mae Rhys yn troi i syllu arno'n tynnu'r cetris o'r dryll.

– Gwed wrtha i, Rhys, 'se fe wedi neud mistêc, y mistêc bach lleia, fyddet ti wedi . . . fyddet ti wedi'i saethu fe?

Mae Rhys yn nodio'i ben. Ac mae Wil yn teimlo ias yn saethu lawr ei asgwrn cefn.

Y stori swyddogol 'nôl yng nghegin Ffynnon Oer yw bod y dyn dierth yn ddiolchgar iawn i Meri am fynd i chwilio am help, ac i Rhys a Wil am ei hebrwng hanner ffordd i Aberaeron. Meri yw'r unig un o'r tair menyw i lyncu'r stori. Mae Esther yn nabod y natur ddynol, a Martha, sydd newydd gyrraedd yn ei char, yn nabod Rhys yn rhy dda. Wil sy'n ymdrechu i droi'r stori.

– Diolch yn fowr am y swper, Mrs Jenkins. Jawch eriôd, Rhys bach, 'sdim rhyfedd bod cystal gra'n arnat ti – yn ca'l bwyd da fel hyn, a cha'l dy dendo 'da tair menyw bert!

– Odw i'n bert?

– Meri, wyt ti mor bert â dy fam a dy fam-gu. A fe weda i hyn wrthot ti – fe ddylet ti fod yn ddiolchgar taw tynnu ar 'u hôl nhw wyt ti a dim ar ôl dy dad!

Prin y byddech chi'n sylwi ar yr edrychiad sydyn rhwng Rhys a Martha cyn iddi hi roi gorchymyn swta i'w merch,

– Reit 'te, Meri, amser gwely.

Ond mae 'na ddefod i'w chyflawni'n gyntaf – y practis. Mae Rhys yn tynnu'r *gas masks* o'u bocsys, ac mae Meri'n lleisio'i phrotest.

– O Dat, o's raid i ni? Ma'n nhw'n drewi!

– Meri, sawl gwaith ma'n rhaid i fi weud? Fydde drewdod *gas* y Jyrmans yn dy ladd di! Nawrte, gwisga hon! A chithe Mrs Jenkins – a tithe Martha!

Wrth deimlo'r tyndra amlwg a gweld pedwar wyneb hir yn

23

diflannu y tu ôl i'r masgiau erchyll, mae Wil yn ei chael hi'n anodd i gelu'i wên. Mae 'na ryfel a rhyfel. Rhyfel oer sydd ar aelwyd Ffynnon Oer.

*

Brwydr chwerw iawn sydd rhwng John a Lizzie.

– Pwy hawl o'dd 'da ti, John? Fi sy pia nhw! Fi dalodd amdanyn nhw! Fi sy'n 'u hiwso nhw, dim ti!

– Ond 'na'n gwmws beth yw'r pwynt. Do's dim iws o gwbwl iddyn nhw nawr!

– Ond fe fydd! Pan ddaw'r blwmin rhyfel 'ma i ben!

– 'Mhen blynydde, falle!

– 'Sdim ots pryd! Blwyddyn, dwy, tair . . .

– Pump ne' chwech – 'na'r sôn . . .

– Fe 'nest ti rwbeth slei! Mynd tu cefen i fi! Gredes i erioed y gnelet ti shwt beth!

Do, fe gafodd Lizzie siom. Ar ben ei phryder am ei phlant, fe wnaeth ei gŵr rywbeth anfaddeuol. Fe aeth ati i geisio gwaredu ei pheiriannau gwnïo, a hynny heb yn wybod iddi.

– Y cwbwl 'nes i o'dd gofyn i Cohen am bris! Er mwyn gweld beth yw 'u gwerth nhw!

– Fe fyddet ti wedi'u gwerthu nhw iddo fe!

– Dim heb weud wrthot ti! Plîs, Lizzie, dy les di sy'n bwysig i fi. Ti ac Olwen . . . Ma'n rhaid i ti 'nghredu i . . .

Ar ôl yr holl flynyddoedd o gyd-fyw, o gyd-ddyheu, o gydymdeimlo a chydalaru, a rhannu pob gobaith a gofid ac ofn, mae Lizzie yn ei gredu. Ac mae hi'n gafael ynddo ac yn ei gofleidio.

– Wy *yn* dy gredu di'r twpsyn dwl . . . Ond paid ti â neud shwt beth dan-din byth 'to – wyt ti'n deall?

– Odw, bòs.

Cusan i selio dealltwriaeth a chariad a maddeuant. Ond mae'r seiren yn torri ar eu traws.

– Damo!

Ac yn sydyn mae John yn penderfynu dweud yr hyn a fu ar ei feddwl ers wythnosau.

– Lizzie, ma'n rhaid i ti ac Olwen fynd o Lunden.

– I ble?

– I'r wlad.

– Er mwyn i ti ga'l gwared mwy o 'mhethe i?

– Lizzie . . .

– Jôc, John bach . . .

– Ond dim jôc yw'r boms 'ma. 'Set ti'n gweld hanner y pethe wy'n 'u gweld bob nos . . .

Gallai John fanylu am yr erchyllterau a wêl yn gyson. Fel y groten fach yn Brixton echnos, yn ei dillad nos, yn magu doli glwt, yn gweiddi am ei mam, a John yn gwybod bod honno'n gelain o dan dunnell o gerrig. Gallai ddweud sut y gafaelodd ynddi a'i magu yn ei freichiau wrth i fom arall syrthio mewn stryd gyfagos nes bod y cyfan yn ysgwyd o'u cwmpas. Gallai ddisgrifio sut yr oedd dagrau'r groten fach wedi gwlychu ei foch, a sut yr oedd hi'n gweiddi ac yn chwifio'i breichiau mewn dryswch ac ofn wrth i weithwyr y Groes Goch ei llusgo i ddiogelwch yn eu lorri . . . Ond y cyfan a wna yw gwasgu llaw ei wraig.

– Ma'n rhaid i chi fynd i Ffynnon Oer. 'Na'r unig le y byddwch chi'n saff. Olwen! Dere, cariad, ma' hi'n bryd i ni symud!

Wrth afael yn llaw Olwen ar y ffordd i'w lloches danddaearol, mae Lizzie'n hanner cytuno gyda John. Fe gaiff Olwen fynd i Ffynnon Oer.

*

Yn sŵn yr anadlu beichus, a pheswch bach ffug Meri, mae'r cloc mawr yn taro naw.

– *Time, gentlemen, please!*

Wil sy'n gwamalu wrth geisio lleddfu'r anesmwythyd ar yr wynebau y tu ôl i'r mygydau. Ond waeth iddo gyfaddef, er gwaethaf difrifoldeb y sefyllfa, bod yna rywbeth comic mewn gweld hen wraig fel Mrs Jenkins, merch fach fel Meri, a dyn cydnerth fel Rhys, yn ymdebygu i angenfilod rheibus. Er mawr ofid i Rhys, fe wrthododd Martha wisgo'i mwgwd hi.

– Rhyntot ti a dy gawl pan ddaw'r Jyrmans â'u *gas* 'ma!

– Ddo'n nhw byth.

– Shwt wyt ti mor siŵr? Ond 'na fe, wyt ti'n gwbod popeth, on'd wyt ti?

25

Ysgafnu'r tyndra parhaus yw nod Wil ar ôl i'r tri dynnu'r mygydau.

– Jawl, bois bach, 'na beth o'dd practis! O'dd e mor hir â phregeth cwrdde mowr!

– A phryd fuest ti, Wil, yn y cwrdd ddwytha?

– Cwestiwn bach da, Mrs Jenkins. A rhag i fi offod 'i ateb e, a rhag ofon y gwela i haid o Jyrmans ar y ffordd rhwng fan hyn a Ffostrasol, fe weda i 'nos da'!

Meri yw'r unig un sy'n chwerthin. Dyma beth yw teulu dedwydd, meddylia Wil.

*

Am hanner nos mae Rhys ac Elwyn Cilfforch ar *sentry duty* unig ar y clogwyn uwchben Gilfach yr Halen. Mae hi'n noson olau leuad, serennog, glir, ac mae pobman yn dawel a phopeth yn dda. Does dim i'w glywed ond bref besychol achlysurol ambell ddafad, a hwtian cysurlon ambell dylluan yn gymysg â sibrwd rhythmig y tonnau islaw. Mae llwybr y lleuad yn ymestyn fel darn o wydr melyn dros y môr . . .

Yng nghanol ei feddyliau dwfn gall Rhys dyngu ei fod yn gweld gwawr goch yn yr awyr ymhell i'r de. Rhaid bod Abertawe'n ei chael hi heno eto. Neu falle mai dychmygu a wna. Falle mai dychmygu oedd Bob *New Quay Belle* ddoe pan welodd sybmarîn rhwng Cei Newydd a Chei Bach. Mae dychymyg byw gan bysgotwyr ac mae eu dawn i ymestyn ffeithiau'n ddiarhebol. Ond fe allai, am unwaith, fod yn dweud y gwir. Fe allai sybmarîn neu long fod yn llercian draw yn y dyfnderoedd y funud hon. Gallent anfon cwch a'i llond hi o ddynion i lanio'n ddirgel, ddiarwybod ar y traeth, a Rhys Ffynnon Oer ac Elwyn Cilfforch fyddai'r unig dystion i'r digwyddiad. Fyddai pobol yn eu credu? Beth os taw heno yw'r noson fawr y bydd y Jyrmans yn llwyddo i lanio fesul cwch fan hyn a chwch fan draw ar hyd arfordir Sir Aberteifi? Na, dim gobaith. Dim a dynion o ymroddiad yn gwylio'r glannau, pob un â'i ddryll yn barod . . .

Beth os yw ambell un â'i ddryll yn *rhy* barod? Yn sydyn, mae Rhys yn cau ei lygaid. Rhaid gwaredu'r darlun ofnadwy o'i ben, darlun o ddyn ar ei liniau o'i flaen yn ymbil am drugaredd. Dyn diniwed, un a allai fod yn gelain heno. Mae Rhys yn crynu drwyddo cyn agor ei lygaid a cherdded yn nes at ymyl y dibyn. Wrth syllu lawr i'r traeth islaw, does dim i'w weld drwy'r tywyllwch trwchus. Ond wrth godi'i ben a syllu fry gall weld wynebau Martha, a Meri, ac Esther Jenkins yn syllu arno o ganol y sêr. Y menywod yn ei fywyd. Yr unig rai heblaw am ei fam a'i chwaer . . .

Sara. Fe fu hi yma, ar noson debyg i hon, flynyddoedd maith yn ôl. Fe welodd hithau'r sêr. Fe welodd hi'r llwybr euraid dros y môr. Fe ddychmygodd y gallai gerdded arno nes cyrraedd y sêr. Ond dychmygu yr oedd hi, druan . . .

Mae'r dagrau'n cronni yn llygaid Rhys. Bu'n ddiwrnod hir, blinedig a blinderog. Mae bywyd yn flinedig a blinderog. O, am gael cysgu . . .

Na, mae arno gyfrifoldeb mawr. Mae ganddo ddyletswydd i'w deulu ac i'w wlad. Mae Rhys yn sychu'r dagrau ac yn dechrau chwibanu'n ysgafn.

*

Yn gynnar fore trannoeth, mae Meri'n cael ei phŵd Sadyrnol arferol wrth i Martha ac Esther gychwyn am Gaerfyrddin yn y car. Rhaid mynd drwy'r un rigmarôl pythefnosol, arferol – fe gaiff hi anrheg o'r farchnad yn wobr am fod yn groten dda, am helpu'i thad, am roi cinio a the o'i flaen ac yna golchi'r llestri. Ac fe fydd yna rywbeth sbesial iawn i swper.

Mae Rhys yn dal yn ei wely. Ond fe fydd ar ei draed cyn hir yn gwneud diwrnod da o waith yn ôl ei arfer, er gwaetha'i oriau meithion ar ddyletswydd.

– Wyt ti'n lwcus iawn ohono fe.

– Pwy?

Wrth yrru dros Fanc Siôn Cwilt mae meddwl Martha ymhobman ond ar ei gŵr.

– Dy ŵr di, groten! Ma' fe'n weithwr da, yn gydwybodol ac yn ofalus iawn ohonon ni i gyd.

– Chi'n iawn . . .

– Ond dyw pethe ddim yn iawn rhyntoch chi – odyn nhw?

27

– Gwedwch chi . . .

Does gan Martha ddim mwy i'w ddweud ynglŷn â'r mater.

*

– Dwi'n falch o dy weld di, Jane. A dwi'n gobeithio i'r nefoedd dy fod titha'n falch o 'ngweld inna – hyd yn oed a minna fel hyn, yn hen ŵr musgrell, cloff. Ond mi fedrwn ni'n dau ddychmygu. Mi fedrwn ni gofio'n ôl i'r dyddia da, i'r dyddia difyr, pan oeddan ni'n ifanc ac yn iach ac yn heini. Pan oeddat *ti*'n llawar ifancach, yn llawar iachach – ac yn sicr yn llawer mwy heini nag o'n i! Ond mi o'n i'n gneud 'y ngora, toeddwn? I dy blesio di, i dy gadw di'n hapus. A dwi'n meddwl i mi lwyddo. Mi ddaru mi wneud i ti wenu sawl tro. Mi ddaru ti ddeud wrtha i sawl tro dy fod ti'n hapus. Yn hapus yn 'y nghwmni i. Er gwaetha popeth . . .

Mi fuost ti'n achubiaeth i mi, 'sti. Pan oedd petha'n dywyll. Pan oedd Katie'n wael. Mi oeddat ti'n goleuo 'mywyd i fel haul ganol dydd. Ac mi gawson ni gymaint o sbort. Mi oeddan ni'n chwerthin drwy'r amser – chwerthin a dawnsio. Dyna'r ddau beth dwi'n gofio ora. Mi oedd dawnsio efo ti'n nefoedd – teimlo gwres dy gorff gosgeiddig di, a finna'n brwydro efo'r hen awydd, yr hen, hen ysfa, ysfa'r cnawd . . . Nes i mi ildio iddi . . .

Wyt ti'n cofio'r noson honno? Dwi'n cofio'r awr, y funud, yr eiliad. Y foment na fu ei thebyg wedyn. Un wefr yn newid cwrs bywydau . . .

Jane, wnei di faddau i mi? Dyna pam dwi wedi dŵad yma heddiw, yr holl ffordd o Lundain, er 'y mod i'n wael . . . Dwi isio gofyn am dy faddeuant di, nid am be ddigwyddodd ar y noson honno ond am be ddaru mi wedyn. Nid am fynd â ti at borth y nefoedd ond am fynd â ti at byrth uffern. Mi ddaru mi gefnu arnat ti, Jane. Cefnu arnat ti a'r bychan. A fedra i ddim maddau i mi fy hun. Ond ella y medri di fadda i mi. Dwi'n gobeithio y medri di . . .

Madda i mi, Jane . . . Madda i hen lwfrgi – neu, fel y basa teulu Ffynnon Oer yn 'i ddeud, i hen gachgi ddiawl.

*

28

Cyfarfyddiad rhyfedd yw hwnnw y tu allan i'r Ysbyty Meddwl: Robert yn ei gadair olwyn yn cael ei wthio gan ei fwtler; Esther yn pwyso ar ei ffon ac ar fraich Martha. Y pedwar yn llonydd fel delwau, ac yna'r pedwar, yn eu tro, yn syllu o'r naill i'r llall. Esther sy'n siarad gyntaf.

– Ddylech chi ddim fod wedi dod 'ma, Robert.

– Ella wir. Ond doedd gen i ddim dewis.

– Do'dd 'da chi ddim hawl!

– Mi oedd gin i berffaith hawl.

– Beth wedoch chi wrthi?

– Bod yn ddrwg gen i.

– Am beth yn gwmws?

– Mae hynny rhwng Jane a mi.

– Wel ma' hyn rhyntoch chi a fi – peidwch byth â dod fan hyn 'to. Odych chi'n deall?

Mae Robert yn gwenu'n affwysol o drist arni.

– Does 'na fawr o beryg o hynny, Esther fach . . . A rŵan, mi ffarwelia i â chi – ac â titha, Martha . . .

Mae'r ddwy'n syllu ar y gadair olwyn yn pellhau . . .

*

– Jane, beth wedodd e wrthot ti?

Yr un hen ateb cyfarwydd a gaiff Esther – tawelwch llethol a llygaid gwag yn syllu ar y wal wen.

– Jane fach, 'set ti 'mond yn galler siarad . . .

Ond dyw hi ddim yn gallu siarad. Fe fu'n fud ers blynyddoedd, yn ei byd bach cyfyng ei hunan, yn siglo'n ôl a blaen, yn ôl a blaen, ei breichiau'n dynn am ei chorff eiddil. Maen nhw'n dynn am ei chorff am fod strapiau'n eu clymu, strapiau sy'n ei hatal rhag dianc. Dianc? Gair caredig am rywbeth llawer mwy clinigol, sef hunanladdiad. Ei hatal rhag ei lladd ei hunan a wna'r strapiau am ei breichiau.

*

Drennydd, fore Llun, mae hi'n fore braf ac mae'r *landgirls* yn cael modd i fyw. Mae eu chwibanu a'u gweiddi a'u chwerthin aflafar – a'u jôcs aflednais a'u sylwadau agos-at-y-pridd – i'w clywed o bell wrth i'r lorri sy'n eu cario deithio ar hyd y ffyrdd gwledig a thrwy'r pentrefi. Gwae unrhyw bishyn neu anffodusyn o ddyn ifanc sy'n digwydd bod ar fin y ffordd. Fe gaiff ei ganmol yn watwarus neu ei wawdio'n ganmoliaethus gan yr hanner dwsin o ferched lysti, nwyfus a nwydus sy'n sefyll fel milwyr gwyliadwrus yn eu dyngarîs a'u crysau breision.

– Hei, mister! Ma'ch ffon chi'n gam!

– Bydd di'n ofalus ar y beic 'na, rhag ofon gei di ddolur mowr!

– *Slow down, driver! We want to admire the view!*

A phan welan nhw rhes fach o ddynion tawel a phenisel ger gallt o goed, maen nhw ar ben eu digon.

– Drychwch, ferched! Conshis!

– Pishis!

– *Never seen none before.*

– *Seen one, seen 'em all!*

– Hei, bois! Ma' croeso i chi godi rhwbeth arall heblaw dryll!

Mae'r chwerthin yn atseinio drwy'r cwm bach cul cyn i'r lorri godi stêm a theithio i gyfeiriad Aberaeron. Dwy sydd ynddi erbyn iddi gyrraedd Ffynnon Oer. Maen nhw'n neidio i lawr yn eiddgar gan lygadu Rhys yn llawn chwilfrydedd. Mae yntau'n eu llygadu'n oeraidd wrth i'r gyrrwr eu cyflwyno.

– Mavis Thomas a Brenda Hopkins. Nawr cofiwch chi fihafio, ferched bach!

– Y'n ni wastad yn bihafio – on'd y'n ni, Brend?

– Wel, dim wastad, Mave!

– Pob lwc i chi 'da'r ddwy 'ma, Mr Jones! Crotesi dansherus iawn y'n nhw!

– O whare teg nawr, Ben, so ni 'di neud dim i chi! Dim 'to, ta beth!

– Jawl, wy'n edrych mla'n! Nawrte, dwyrnod da o waith i Mr Jones, a fe wela i chi heno, ar ben y lôn, ar y dot am whech.

A'r lorri'n diflannu i fyny'r lôn, mae Mavis yn troi at Rhys yn wên i gyd.

– Chi yw'r bòs 'ma, Mister Jones?

– Nage. Fi yw'r bòs.

Fe ymddangosodd Esther o rywle, yn ôl ei harfer, heb i neb sylwi arni. Gwêl Rhys ei gyfle i sleifio i ffwrdd a gadael iddi drafod y ddwy yn ei dull dihafal ei hunan.

– Croeso i chi, ferched, i Ffynnon Oer. Mrs Esther Jenkins ydw i. Mr Jones yw'r mab-yng-nghyfreth. Reit 'te, dewch 'da fi. Mae Esther yn hercian ar bwys ei ffon draw i gyfeiriad y beudy. Eiliad o betruso ac yna mae'r ddwy'n martsio y tu ôl iddi i gyfeiliant sibrwd Mavis.

– *Right, boss! Left, boss! Three bags full, boss!*

Ond cyn iddyn nhw gymryd tri cham mae Esther wedi troi arnyn nhw'n chwyrn.

– Gair bach o gyngor i chi, ferched. Wy'n lico 'bach o sbort cystal â neb. Ond 'sdim isie mynd dros ben llestri. Odych chi'n deall?

Maen nhw'n nodio'u pennau'n ddifrifol ond yn cael tipyn o ffwdan i gadw rhag chwerthin.

– Gwd – 'na ni'n deall 'yn gilydd. Nawrte, o's unrhyw gwestiwn 'da chi?

– O's. Pryd gewn ni ddishgled o de?

– Am ddeg – yr un pryd â phawb arall.

O ie, Mrs Esther Jenkins yw'r bòs. Hyd yn hyn.

*

Sam Philips yw'r bòs yn y goedwig uwchben Aberarth. Fe yw'r fforman sydd yng ngofal criw o weithwyr sy'n cynnwys pedwar gwrthwynebydd cydwybodol. Ac mae ei swydd gyfrifol wedi mynd i'w ben. Mae gan y bwli bach rhwystredig ddawn gynhenid i brocio a phoenydio, ac fe welodd ei gyfle i'w hymarfer ar y rhai sy'n arddel athroniaeth dwp a hunanol – ond hynod o beryglus – 'troi'r foch arall' a 'câr dy gymydog fel ti dy hun'. Gŵyr Sam ei fod yn hollol saff yng nghwmni'r rhain. Fydd 'na neb ohonyn nhw'n dannod iddo nac yn dial arno. Wel, ar wahân i un – y David Davies bondigrybwyll yna, o Donypandy. Hwnnw fu'n snwffian rownd yr ardal flynydde 'nôl – ac un ffarm yn arbennig. Mae golwg ddrygionus a dansherus arno. Rhaid cadw llygad arno, a'i bryfocio, ac yna aros am y cyfle . . .

Ac fe ddaw un da adeg te deg, a Sam yn cau ei focs bwyd ac yn torri gwynt yn swnllyd.

– Jawl, o'dd hwnna'n ffein! O'dd isie bwyd arna i nawr, a dim whare!

31

Fe wincia ar ei gydweithwyr wrth fynd i bisho yn erbyn bonyn coeden.

– 'Mond un peth sy'n wa'th nag isie bwyd. Isie menyw . . . isie menyw, a ffaelu'n lân â cha'l un. Bois bach, 'na beth yw bod yn uffern!

Chwerthin a wna pawb ond dau – y boi Tonypandy, ac Emyr Evans, ei ffrind bach eiddil sy'n treulio mwy o amser yn peswch ac yn ochneidio nag yn torri coed. Mae Sam yn cau ei gopis ac yn edrych i fyw llygaid y Tonypandy ddiawl.

– Jawl, menyw bert yw'r gyfreithreg fach 'na – honno sy'n gweitho 'da David Griffiths. Gwraig Ffynnon Oer, Brynarfor. Tom, beth yw 'i henw hi nawr?

– Martha.

– Ie, 'na ti.

– Menyw glefer . . .

– Clefer? Fentra i y gallen i ddysgu ffaith ne' ddwy iddi! Er, ma'n nhw'n gweud 'i bod hi'n dipyn o haden fach, flynydde'n ôl! Ma'n nhw'n gweud taw hi o'dd yn dysgu pethe drwg i'r dynon! *Nhw* sy'n gweud cofiwch – dim fi!

Yn sŵn y chwerthin, mae Emyr Evans yn synhwyro'r tyndra mawr yng nghrombil y dyn sy'n eistedd wrth ei ochor ar y boncyff.

*

Mae'r meddyg yn ymddiheuro wrth dynnu'r nodwydd o fraich Robert.

– *Sorry about that, old chap. Messy business . . .*

– Paid â phoeni, Oliver bach. Fedrwn i ddim gneud yn well fy hun.

– Cytuno i'r carn. *You always were rather clumsy with the old needle.*

– Mi oedd fy *cross stitch* i yn werth 'i weld!

– Twt! Un peth 'di pwytho. *This business calls for finesse.* Barod am y nesa?

Mae nodwydd arall yn llithro i'w fraich, ac mae Robert yn gwingo am yr eildro.

– *My dear Oliver, you have as much finesse as a farrier putting down a dog!*

– *Praise indeed!*
Daw'r driniaeth i ben ac mae'r meddyg yn cynnig gwydraid o ddŵr i Robert, sy'n gafael ynddo'n grynedig ac yn sipian yn araf.

– Mae hi braidd yn gynnar yn y bora i ti gymryd dy *anaesthetic* arferol.

– Ydi . . . Cofia di, brandi cyn brecwast – yr union beth i dawelu'r nerfau. *Just the thing to help one face another excruciatingly exciting day* . . .

Mae'r meddyg yn nodio'i ben yn wybodus ac yn sychu'r diferion sy'n llifo i lawr gên Robert. Yn sydyn, mae'r gwydr yn llithro o afael Robert ac mae dŵr yn llifo dros y ford fach o'i flaen a thros ei bengliniau esgyrnog. Ochenaid ddofn yw ei ymateb, cyn pwyso'i ben yn ôl yn erbyn y glustog, a chau ei lygaid.

Mae'r meddyg yn syllu arno'n bryderus cyn galw ar James i ddod i sychu'r gwlybaniaeth. Mae'r 'damweiniau' yma'n digwydd yn aml iawn y dyddiau hyn.

*

Nid damwain yw'r hyn sydd newydd ddigwydd yn y goedwig. Fe arllwysodd Sam weddillion oer ei de yn fwriadol dros Emyr Evans. Os do fe. Mae David Davies ar ei draed ac wedi gafael yn Sam gerfydd ei war ac mae ei ddwrn o fewn modfedd i'w swch – sy'n gwenu'n watwarus arno.

– Dere mla'n 'te, Tonypandy! Bwra fi!

Mae David yn gweld y perygl ac yn rhyddhau ei afael ar unwaith. A dyma gyfle mawr Sam, sy'n mynd ato'n hamddenol ac yn cilwenu arno cyn dechrau ei fwrw'n ysgafn ar ei fochau â chefn ei law, unwaith, ddwywaith, y foch chwith ac yna'r dde ac yna'r chwith.

– Bwra fi fel hyn, Tonypandy! Fel hyn! Fel hyn!

– Gan bwyll nawr, Sam . . .

– Tom, cadwa di mas o hyn! Busnes rhynta i a'r conshi yw e. Ontefe, Conshi? Beth sy'n bod? So ti isie 'mwrw i'n ôl? Pam? Am taw cachgi wyt ti, ontefe? Am bo' ti'n lico 'troi'r foch arall'. Fel hyn, a fel hyn . . .

Yn sydyn mae Emyr Evans ar ei draed ac er gwaethaf ei eiddilwch mae'n neidio ar Sam a'i daflu fel sach o datws ar lawr. Ond mae Sam yn codi'n ara bach, ei lygaid yn fflachio a phoer yn diferu o'i geg. Sylla i fyw llygaid y rhacsyn bach sy'n ei herio.

– 'Sneb – neb – yn neud 'na i fi, Ifans! Wyt ti'n deall, gwboi?

– Gad hi, Sam!

– Bydd ddistaw wedes i, Tom! Ma' isie dysgu gwers i gachgwn bach fel hyn!

Un ffustad galed yn ei fol, ac mae Emyr yn syrthio i'r llawr a Sam yn sefyll uwch ei ben, yn gwenu i lawr arno. Dyna'r rheswm pam nad yw'n sylwi ar y cysgod chwimwth sy'n rhuthro ato ac yn ei ddyrnu, unwaith, ar ei ên, cyn cilio'n ôl i eistedd ar ei foncyff. Mae Sam ar ben ei ddigon.

– Tonypandy bach, wyt ti wedi'i gneud hi nawr, a dim whare! Weloch chi beth 'na'th e, bois? Hen gachgi bach o gonshi yn 'y mwrw i! Ma' gormod o ofan arno fe fynd i ffeito'r Jyrmans! Ond ma' fe'n folon bwrw boi bach diniwed!

Yn nhawelwch y goedwig mae ei sibrwd yng nghlust David i'w glywed yn glir.

– Fe gei di ddiodde am hyn, gwboi! Fe fyddi di'n difaru d'ened di nad est ti i'r ffrynt lein!

*

Mae Rhys yn gwylio'r *landgirls*. Heb yn wybod iddyn nhw fe'u gwêl yn tasgu dŵr dros ei gilydd wrth sgwrio'r sgwaryn concrit o flaen y beudy. Mae eu chwerthin a'u gwichian yn mynd o dan ei groen. Na, eu chwarae plant sy'n ei boeni. Dwy groten fach benchwiban, yn deall dim am ffermio nac am waith na chyfrifoldeb nac am ddim-yw-dim, yn dod fan hyn i Ffynnon Oer yn union fel petaen nhw ar eu gwyliau, ac yntau'n gorfod eu derbyn a'u meithrin a'u hyfforddi heb unrhyw ddewis na dadl. A beth maen nhw'n ei wneud ar eu bore cyntaf? Lluchio bwcedeidi o ddŵr dros ei gilydd nes bod eu dyngarîs yn sopen. Tasgu pwdel dros y lle. Gwichan fel hen lygod bach. A dynwared Esther.

– 'Gair bach o gyngor i chi, ferched. Wy'n lico 'bach o sbort cystal â neb, ond 'sdim isie mynd dros ben llestri'.

A chwerthin yn afreolus.

Mae 'na rywbeth arall ar ei feddwl hefyd, neu'n hytrach yn llercian yn ei isymwybod. Yr hyn ddigwyddodd adeg te deg yng nghegin Ffynnon Oer. Y llygaid awgrymog yn syllu arno dros y cwpanau. Y slyrpian te awgrymog. Y sgwrs awgrymog rhwng y ddwy.

– Mm, ma' hwn yn neis, Brenda.

– Ody, glei . . .

– Ma' fe'n dwym neis, on'd yw e? A ma' fe'n neud i fi deimlo'n neis tu fiwn.

Ac yna'r chwerthin awgrymog, a hwnnw'n dod i ben yn sydyn yr eiliad y daeth Esther i'r ystafell, ond yn ailgychwyn yr eiliad yr aeth hi'n ôl i'r gegin mas.

A busnes y llwy de wedyn. Honno'n syrthio i'r llawr – nage, yn cael ei gollwng yn fwriadol gan Mavis. Hithau'n codi ac yn plygu i'w chodi, gan stwffio'i phen-ôl, yn y dyngarîs gwyrdd, i'w wyneb. Ei phen-ôl siapus . . .

Yn sydyn, wrth feddwl am ben-ôl siapus Mavis, wrth ei ffieiddio'i hun am feddwl amdano, mae Rhys yn rhuthro ar draws y clos gan weiddi'n wyllt ar y ddwy:

– Os na allwch chi neud 'ych gwaith yn iawn, cerwch o 'ma – nawr!

Mae'r ddwy'n sefyll yn stond, eu bwcedi yn eu dwylo, eu dillad a'u gwalltiau'n diferu.

– Ma' shwt gymint o waith i' neud, a 'ma chi'n whare ymbytu fel plant! Na, y'ch chi'n wa'th na phlant. Ma'r rheiny'n gwbod beth yw neud jobyn o waith yn deidi!

Wrth iddo droi ei gefn mae Mavis yn ymddiheuro.

– Sori, Mr Jones. Pidwch â'n hala ni o 'ma. Fe withwn ni'n galed – y'n ni'n addo . . .

Mae Rhys yn taflu un edrychiad oeraidd atyn nhw cyn brasgamu draw i'r cae-bach-dan-tŷ. Mae'r ddwy'n cydio yn eu brwshys ac yn dechrau sgwrio'r cerrig yn galed. Fe gawson nhw rybudd; mae'n rhaid troedio'n ofalus o hyn ymlaen. Dyw Mr Jones ddim yn un i chwarae ag e.

Ychydig a ŵyr Brenda nad yw Mr Jones yn ddim mwy na thalp o *blancmange* simsan. Ond mae Mavis yn sylweddoli hynny'n iawn. Fe sylweddola hefyd y gall fod yn un da iawn i chwarae ag e, dim ond iddi fod yn ddigon amyneddgar. Mae hi'n fodlon aros . . .

*

Mae'r peth yn ddirgelwch i Ifan Enoc Jenkins. Ychydig ddyddiau'n ôl fe dderbyniodd wŷs, gorchymyn pendant, i ymweld â dieithryn o hen ewyrth yn ei gartref moethus ym Maidenhead. Heddiw, dyma'i Rolls mawr du yn cyrraedd y *barracks* a'i fwtler yn gwthio'r ewythr yn ei gadair olwyn i gyfeiriad swyddfa Devonald.

A nawr, dyma Ifan wedi gorfod ufuddhau i orchymyn arall. Dyma fe'n sefyll o flaen y ddau, Robert Roberts a Major Devonald, heb wybod pam. Mae'n siŵr bod pwrpas i'r ymweliad yma heddiw, fel yr oedd pwrpas i'r wŷs i Maidenhead, sef cynnig trefnu 'rhyfel hawdd' i Ifan. Ond beth yw'r pwrpas hwnnw?

Ar ôl distawrwydd hir, a'r tri'n llygadu'i gilydd yn wyliadwrus, mae Devonald yn ei esgusodi'i hun, yn dymuno'n dda i Ifan ar ei *leave* ac yn gadael y ddau ar eu pennau eu hunain.

– Ista, Ifan Bach.

– Fydde'n well 'da fi sefyll.

– Iawn, ond mae croeso i ti ymlacio. Dwi *isio* i ti ymlacio . . .

Sut ddiawl mae ymlacio yng nghwmni hwn, meddylia Ifan. Hwn â'r llygaid hebog, y dwylo main, crynedig, y coesau esgyrnog. Hwn sy'n eistedd fel corrach bach yn ei gadair olwyn, yn ei lygadu fel y bydd hebog yn llygadu'i brae? Ond mae'r hebog yn siarad . . .

– Faint o *leave* gei di, Ifan?

– Tridie.

– Cyn mynd i'r ffrynt.

– Ie.

– Ac i lle'r ei di? Adra i Ffynnon Oer?

– Falle . . .

Mae osgoi atebion neu roi atebion amwys wedi dod yn ail natur iddo yn sgil ei gwrs milwrol dwys. Dweud dim sydd orau mewn sefyllfa anodd. '*Walls have ears*' yw'r bregeth gyson. Rhaid bod yn wyliadwrus rhag cynllwyn a dichell y gelyn. Y gelyn? Mae ei ewythr Robert yn gwenu'n dadol arno.

– Dwyt ti ddim yn medru dallt pam dwi wedi dŵad yma, pam

36

dwi isio dy weld di eto, yn enwedig ar ôl be ddigwyddodd yr wythnos ddiwetha. Mi wyt ti'n methu'n lân â dallt pam fod gin i gymaint o ddiddordab ynot ti, a hynny'n sydyn a heb reswm – a finna ddim yn dy nabod di. Dwi'n iawn, tydw? Mae'r dyn yn berffaith iawn.

Ond does gan Ifan ddim bwriad i ddatgelu hynny, a'r cyfan a wna yw codi ei ysgwyddau mewn ystum sy'n cyfleu 'Pam gofyn i fi os y'ch chi'n gwbod yr atebion i gyd?' Yn dawel fach, yn ddwfn yn ei feddyliau dyfnaf, mae rhywbeth yn ei boeni, yn ei gorddi, ac yn peri anesmwythyd rhyfedd. Ond mae hi'n anodd rhoi bys ar ddim byd – dim ond brith atgofion plentyn bach am ambell gyfarfyddiad prin ag 'Wncwl Robert' ac am sgyrsiau'n cael eu torri'n fyr yn sydyn ac yn ddiesboniad bob tro y crybwyllid ei enw.

Y frawddeg nesaf sy'n ei lorio.

– Dwi'n nabod dy fam di, Ifan. Dwi'n nabod Jane . . .

Mae hi'n haws rheoli'r tafod na'r wyneb.

– Be sy? Mi wyt ti'n sbio arna i fel taswn i'n rhyw ddrychiolaeth! Mi *wyt* ti'n gwbod mai Jane ydi dy fam di – dwyt?

– 'Sneb byth yn sôn amdani.

Dyna fe, o'r diwedd, wedi agor cil y drws ac wedi datgelu – wedi *gorfod* datgelu – mwy nag y dylai.

– Dy ddewis di oedd hynny?

Rhaid cau'r drws yn sydyn.

– Do's neb yn neud – 'na i gyd.

Ond mae troed ei holwr – ei groesholwr – yn dal yng nghil y drws. Does dim modd ei gau'n sownd.

– Nac oes, debyg iawn. Mae hi'n haws peidio, tydi? Smalio nag ydi hi'n bod. Anghofio amdani. Ond *mae* hi'n bod. Wyt ti'n gwbod hynny. Fedar hyd yn oed teulu Ffynnon Oer ddim gwadu hynny.

Wrth gwrs bod Jane yn bod. Mae hi'n bod yn ei atgofion, yn y darluniau sy'n chwyrlïo drwy'i feddwl un ar ôl y llall fel sleidiau *Chinese Lantern*. Hi oedd yr un bert, fyrlymus, lawn sbort; yr un a fyddai'n anfon llythyron a chardiau pen-blwydd ac anrhegion Nadolig ato'n gyson o Lundain. Hi oedd y briodferch hardd. Hi ddiflannodd mor sydyn a llwyr a diesboniad un diwrnod o Ffynnon Oer. Hi oedd ei chwaer.

– Ydyn nhw wedi deud wrthat ti ble mae hi? *Sut* mae hi? Nac'dan, siŵr. Rhag codi hen grachod, a gorfod cyfadda petha anghynnas, a pheri i titha holi cwestiyna bach anodd.

Mae'r llygaid hebog yn culhau.

– Ond *dwi* am ddeud wrthat ti ble mae hi, a sut mae hi. Oherwydd mae hi'n ddynas wael, mewn ysbyty meddwl yng Nghaerfyrddin, yn diodda o salwch meddwl ac iselder ysbryd enbyd ers blynyddoedd . . . Dwi'n cyfadda nad oedd 'na ddewis arall. Tair ymgais i'w lladd ei hun. Ei chyflwr yn dirywio. Doedd dim modd iddi ddal i fyw ar ei phen ei hun yn Llundain nac adra yn Ffynnon Oer. Roedd rhaid ei chadw mewn lle diogel . . .

Mae Robert yn pwyso'n ôl yn ei gadair olwyn ac yn anadlu'n drwm. Bu'n ymdrech galed iddo, a'r hyn a wêl Ifan Enoc Jenkins o'i flaen yw hen ŵr bach byr ei wynt, a fynnodd ddatgelu cyfrinach fawr y teulu, a'i gwelodd yn ddyletswydd i'w datgelu. Ond pam? Beth yw'r rheswm dros wneud hyn nawr? Mae Ifan yn llygadu'r drws. Y peth gorau fyddai iddo ddianc, cyn gorfod gwrando ar ragor o wirioneddau. Ond, fel petai'n synhwyro beth yw ei ddyhead, mae'r hen ŵr yn cymryd anadl ddofn, yn pwyso ymlaen yn ei gadair ac yn sibrwd. Prin y gall Ifan ei glywed.

– Mae 'na rywbeth arall, Ifan Bach . . .

Mae'r drws a'i ddihangfa'n dal yn ddewis call, yn ddewis hawdd. Ond mae 'na ddewis arall – sefyll ei dir a chlywed beth yw'r 'rhywbeth arall'. Ac wrth i'w lygaid wibio'n ôl a blaen rhwng y drws a'r llygaid hebog, fe ddaw Ifan i benderfyniad.

– Pwy 'rywbeth arall', Wncwl Robert?

Mae'r wên wedi hen ddiflannu. Yn ei lle mae 'na grychau a phantiau a chysgodion – a phoen gwirioneddol yn y llygaid.

– Sonion nhw erioed wrthat ti am dy dad? Naddo, siŵr iawn! A ddaru titha ddim holi. Er dy fod ti bron â marw isio gwbod, isio trio dallt beth oedd y cyfrinacha mawr roeddan nhw'n eu cuddio rhagddot ti – ddaru ti erioed holi. Pam?

– Am fod 'da fi dad a mam!

– Dy daid a dy nain oeddan nhw.

– Do'dd dim ots! Nhw o'dd y cwbwl o'dd 'da fi!

– Naci, Ifan. Drwy'r holl flynyddoedd, mi oedd gin ti fam go-iawn. A thad go-iawn.

– A licech chi i fi wbod pwy e! Y'ch chi jyst â marw isie

gweud wrtha i pwy yw e! Pam? Pam na allwch chi adel llonydd i fi? Pam bo' raid i chi hwpo'ch trwyn i'n busnes ni? Dyw e'n ddim byd i neud â chi!

Yr eiliad honno fe ddaw'r cyfan yn glir i Ifan. Gŵyr yn iawn beth y mae Robert ar fin ei ddweud. Ac yn sydyn fe gofia am noson braf o haf hwyr, ddeng mlynedd yn ôl. Fe gofia orwedd yn ei wely rhwng cwsg ac effro, yn breuddwyddio am y *satchel* ledr fawr yn ffenest siop y crydd yn Aberaeron, yn dychmygu gwisgo'r cap a'r *blazer* smart ar ei ddiwrnod cyntaf yn y *County School*. Fe gofia'r drws yn agor a'i fam yn sefyll yno, ger ei wely. Fe'i cofia'n eistedd wrth ei ochr, yn gafael yn ei law ac yn ei siarsio i fod yn ddewr. Ac fe'i cofia'n dechrau dweud y pethau erchyll wrtho, un ar ôl y llall, fel cyfres o glatshys celyd ar draws ei foch, glatsh, glatsh, glatsh. Nid hi oedd ei fam. Ei chwaer oedd ei fam. Jane oedd ei fam. Doedd ganddo ddim tad. Cofia gau ei lygaid, ond roedd y clatshys yn atseinio yn ei ben dro ar ôl tro. Fe gofia'r dagrau'n llosgi drwy ei amrannau. Ac fe gofia'i fam – ei fam-gu – yn ei gofleidio'n dynn, dynn, ac yn dweud wrtho bod yn rhaid iddo gofio un peth pwysig iawn. Ei bod yn garu, eu bod i gyd yn ei garu.

A nawr, pan sylweddola beth y mae Robert ar fin ei ddweud, fe gofia weiddi allan drwy ei ddagrau:

– Na! Chi yw Mam! Dim Jane!

Mae sibrwd Robert yn torri ar draws ei atgof.

– Ia, fi ydi dy dad di, Ifan.

Dim cofleidio'r tro hwn. Dim dagrau, a dim gweiddi. Dim byd ond ias oer yn llenwi'r stafell, ias fel gwynt y gogledd yn chwyrlïo dros Gae Pella ym Mis Bach. A wyneb hebog, a sibrwd cryg, aneglur.

– Mi oedd Jane a minna'n caru'n gilydd unwaith. A dwi isio i ti ddallt un peth. Canlyniad y cariad hwnnw wyt ti. Nid canlyniad cyplu gwyllt, anifeilaidd. A dwi isio i ti wybod un peth arall . . .

– Na . . .

– Dwi'n dy garu di, Ifan . . .

– Na!

Yn union fel crwtyn bach dengmlwydd, penfelyn, mae Ifan Bach yn rhuthro o'r stafell gan weiddi:

– Cerwch i'r diawl!

Hen ŵr toredig, siomedig sy'n sipian brandi Devonald ymhen pum munud, ei ddwylo'n crynu, a'r chwys yn diferu dros ei wyneb hebog. Gwena ar ei hen ffrind ac ar ei hen was ffyddlon.

– *I'm not supposed to touch alcohol. Total abstention – because of the medication. But if alcohol kills me, so be it. Eh, James?*

Mae James yn nodio'i ben yn ufudd. Petai'n cael swllt am bob tro y clywodd yr union eiriau yna yn ystod y blynyddoedd diwethaf . . . Ond chlywodd e erioed mo'r geiriau iasol nesaf.

– *Alcohol – or my broken heart? Which of them will get me first? My money's on my broken heart, my friends. So let's drink to it – my broken heart . . .*

Mae'r ddwy law sy'n cydio am y gwydr yn crynu'n afreolus. Mae'r brandi'n llifo'n wythïen oren i lawr ei ên. Ac mae golwg ofidus iawn ar wyneb Devonald wrth iddo wylio James yn sychu'r annibendod gludiog â'i hances glaerwyn.

*

Yn gynnar y noson honno, mae'r llyffant Pritchard yn cyfarch Robert â'i wên ymddangosiadol gyfeillgar arferol ac yn ysgwyd ei law lipa'n gynnes. Sylweddola fod angen iddo droedio'n ofalus. Fe eglurodd Grace eisoes bod ei gŵr wedi cael diwrnod gwaeth na'r cyffredin oherwydd antics y 'blwmin crwt hunanol 'na'. Bu'n yfed ac yn rhochian cysgu bob yn ail am oriau. Rhwng yr alcohol a'r cyffuriau lladd poen a'r hepian cysgu ysbeidiol, mae golwg druenus arno.

– Shwt y'ch chi erbyn hyn, Robert? Ma' golwg dda arnoch chi!

Edrychiad o ddirmyg pur yw ymateb Robert.

– Ma' lot fowr o bobol y *Club* yn cofio atoch chi. Weles i Archie Wilson gynne – bwgwth dod â photel o Glenfiddich Malt i chi. '*Best medicine in the world, old boy,*' medde fe. Ie, tipyn o gymeriad yw'r hen Archibald – ac mor *bald* ag erioed o dan y wig 'na, druan!

Mae Robert yn dechrau pesychu.

– Pwy arall weles i gynne, mewn *meeting* o'r Hammersmith Consortium, o'dd Daniel Jenkins. Jawch, ma' pen busnes da 'da'r crwt. Ond ma' fe'n ddyn bach teulu erbyn hyn. Cydwybodol iawn . . .

Mae peswch Robert yn dwysáu.

– Sôn byth a beunydd am ei wraig a'i blant . . .

Mae Robert yn ei chael hi'n anodd i gael ei wynt.

– *And he's on the straight and narrow at last, the old scoundrel!*

Yn sydyn mae James yn gafael yn Robert fel petai'n ddoli glwt ac yn gwthio'i ben yn isel rhwng ei goesau gan guro'i gefn yn galed. Mae Grace wedi gweld hen ddigon ac fe ruthra allan wrth deimlo'r cyfog yn codi i'w gwddf. Pan wêl y llysnafedd sy'n arllwys o geg ac o drwyn Robert, mae'r llyffant Pritchard yn ei dilyn.

Y tu allan ar y dreif fe wna drefniant i roi galwad ar y ffôn i Grace am ddeg o'r gloch.

– *When the coast is clear and Mrs P. is out of the way. And maybe we can meet tomorrow – and have a little fun?*

Fel ernes o'u hwyl arfaethedig mae e'n rhoi gwasgiad sydyn i'w phen-ôl ac yn sibrwd yn ei chlust:

– Ti wyddost beth ddywed fy nghalon . . .

Ychydig a ŵyr y cariadon slei bod yna ddau bâr o lygaid yn eu gwylio drwy ffenest fawr y parlwr. Mae Robert, ei gorff yn crynu, ei wyneb yn goch a'i lygaid wedi chwyddo ar ôl ei bwl o beswch, yn sibrwd wrth ei was:

– *Time for your daily Welsh lesson, James.* Llyffant?

– *Toad, Sir.*

– *Correct. And* 'llyffant ddiawl'?

– *'Devilish toad', Sir.*

– *Correct.*

*

Mae Ifan Enoc Jenkins yn ei chael hi'n anodd i gredu'r hyn a glyw ei glustiau a'r hyn a wêl ei lygaid. Y chwerthin a'r gweiddi gwallgof, a'r wylofain a'r ochneidio parhaus sy'n atseinio rhwng y waliau; yr anffodusion sy'n llusgo ar hyd y coridor, neu'n eistedd ar gadeiriau fan hyn a fan draw, neu'n sefyllian yn ddall fel delwau. Mae ambell un yn sgyrnygu arno, ambell un yn syllu arno'n ymbilgar, ac ambell un yn gwneud dim ond siglo'n ôl a blaen, yn eu bydoedd bach dychrynllyd o unig. A'r drewdod wedyn – o gachu a chwys a chyfog a pholish a disinffectant, yn un cymysgwch ffiaidd.

Mae gwynt hyfryd y lelog gwyn sydd mewn llestr ar ddesg y dderbynfa'n boddi'r ffieidd-dra. Mae golwg angylaidd ar y nyrs o dan y cap gwyn, ei gwên yn gynnes a'i llais yn feddal, fwyn. Mae'r milwr bach golygus yn ei iwnfforrm smart yn ei hatgoffa o Dai, ei chariad a laddwyd yn Arras bum mlynedd ar hugain yn ôl. Dai, ei hunig gariad, y ffarweliodd yn ddagreuol ag ef yn stesion Caerfyrddin gan dyngu llw iddo y byddai'n ffyddlon iddo am byth. Ac fe gadwodd ei haddewid. Teligram swta '*We regret to inform you*' yn esgor ar bum mlynedd ar hugain o alaru diwair. Ond ychydig a ŵyr y milwr bach am yr addewid na'r galar wrth iddo syllu'n daer arni a holi am Jane Letitia Jenkins. Ychydig a ŵyr hithau bod ei hateb yn troi ar ei stumog yn fwy na'r holl erchylltra sydd o'i amgylch.

– Jane Letitia Jenkins? Ody, ma' hi 'ma.

– Ers faint?

– Dewch 'weld nawr . . . wy'n gweitho 'ma ers pum mlynedd – a o'dd hi 'ma 'mhell cyn hynny. Ond gwedwch wrtha i – pwy y'ch chi? Odych chi'n deulu?

Cyn rhoi ateb iddi mae'r milwr ifanc, golygus wedi troi a diflannu allan drwy'r drws.

*

– Dat, shwt ma' spelian '*science*'?

– Gofyn i dy fam.

Wrth wylio'i mam yn ysgrifennu'r gair yn ei llawysgrifen *copperplate*, mae Meri'n rhyfeddu at ei gallu.

– Mam yw'r cleferstics yn tŷ ni, ontefe? Shwt 'nny? Dynion sy fel arfer.

– Cer di mla'n â'r *homework* 'na, 'na gwgerl fach! Ma' hi jyst yn amser gwely!

Mae Martha'n bigog. Fe gafodd ddiwrnod hir, achosion dyrys, cleients anodd. A dim un gair o ddiolch. A nawr dyma hi'n rhannu'r sgiw â'i gŵr dywedwst sy'n gwneud dim ond syllu i'r tân a'i brocio'n ffyrnig nawr ac yn y man. Mae ei mam yn siglo yn ei chadair, yn llygadu pawb fel cath yn llygadu llygoden. Ac mae ei merch yn gofyn cwestiynau bach lletchwith. Mae awydd arni i godi a mynd i'r llofft i ddarllen. Duw a ŵyr, mae ganddi ddigonedd o waith i'w wneud a'r arholiadau nesaf – pwysig – ar y gorwel. Ond dyna beth fyddai pechu'n garlibwns a gofyn am drwbwl. Felly mae hi'n eistedd ar y sgiw, rhwng ei gŵr a'i merch, yn esgus darllen y *Welsh Gazette* yng ngolau gwan y lamp.

– Beth o't ti'n feddwl o'r *landgirls*, 'te?

Esther sy'n holi, ac mae Martha, yn ôl ei harfer, yn pwyso a mesur ei hateb. Sgwrs fach fer gafodd hi â'r ddwy, a hynny pan o'n nhw ar eu ffordd i ddal y lorri ar ben y lôn. Ro'n nhw i'w gweld yn ferched digon hawddgar ac yn honni iddyn nhw fwynhau eu diwrnod cyntaf yn Ffynnon Oer. Ond fe ddywedodd Mavis un peth digon rhyfedd – bod Mr Jones yn dipyn o sbort. Mae Martha'n taflu pip fach sydyn ar ei gŵr cyn ateb cwestiwn ei mam.

– O'n nhw i' weld yn ferched bach digon neis.

– Odyn, ond sdim lot o waith yn perthyn iddyn nhw.

Yn sydyn mae Rhys yn gweiddi:

– Ma'n nhw'n fwy o ffwdan na'u gwerth! Goffod i fi roi lot fowr o amser a sylw iddyn nhw. Ac i beth? 'Sdim o'u hangen nhw 'ma o gwbwl! Wedes i hynny sawl tro, ond 'na fe, 'sneb byth yn gwrando arna i yn y tŷ 'ma!

Heblaw am dician y cloc a hisian y blocyn pren sydd ar y tân, distawrwydd sy'n dilyn ei berorasiwn. Mae Esther a Martha'n llygadu'i gilydd, Rhys yn llygadu'r tân a Meri'n llygadu pawb. Hi sy'n torri ar y tyndra.

– Dat, odych chi'n mynd ar diwti heno?

– Nagw.

– Ond Dat bach, falle taw heno y daw'r Jyrmans! A chithe ddim 'na i'w stopo nhw!

– Fydd rhywun 'na, paid ti â becso.

– Wy ddim *yn* becso. Wy'n *caru'r* Jyrmans.

Mae Martha'n cyfri'r eiliadau. Mae un eiliad ar ddeg yn ddistawrwydd hir.

– Beth wedest ti?

43

– Y'n ni fod caru pawb, medde Mister Lewis. Hyd yn oed y Jyrmans.

Mae Rhys ar ei draed, yn gafael yn y pocer ac yn ei bwyntio'n fygythiol at Meri.

– Reit! Paid ti byth â gweud shwt beth 'to! Dim fan hyn, dim yn yr ysgol, dim yn unman! Wyt ti'n deall? Ma'r jawl wedi mynd yn rhy bell!

– Rhys!

– Jawl yw e, Mrs Jenkins! A paid ti â'i amddiffyn e, Martha! Scwlmishtir, o bawb, yn hwpo syniade dansherus i benne'r plant 'ma!

– Y cwbwl wy'n weud yw . . .

– Paid â'i amddiffyn e! Pwy fyddi di'n 'u hamddiffyn nesa, gwed? Y conshis lan yn y fforest?

Mae Esther ar ei thraed, yn gafael yn Meri ac yn ei gwthio i gyfeiriad y drws.

– Cer mas i gau'r ffowls, 'na gwgerl fach.

– O'n i'n gwbod! Cyn gynted ma' Dat a Mam yn dechre cwmpo mas, wy'n ca'l 'yn hala i gau'r ffowls!

Ei 'hala' neu beidio, mae Meri'n martsio drwy'r drws ac yn ei glepian y tu cefn iddi, gan adael sefyllfa bigog yn y gegin: Martha'n herio Esther â'i llygaid i beidio â dweud dim; Rhys wedi mynd i eistedd wrth y tân ac yn ei brocio'n ddidrugaredd; ac Esther yn ochneidio ac yn pletio'i ffedog yr un mor ddidrugaredd. Ond cyn i ddim gael ei ddweud na'i ddannod mae Meri yn ei hôl – a milwr golygus yn ei dilyn.

– Mam! Dat! Mam-gu! Drychwch pwy sy 'ma!

Wel y jiw, jiw! Ar ôl yr holl amser, ar ôl y dieithrwch mawr, fe ddest ti'n ôl i'n gweld ni, Ifan Bach!

Falle na ddywedwyd hynny. Dim mewn geiriau. Ond dyna sydd ar feddwl pawb. Ac ar eu hwynebau.

*

– 'F'annwyl fab,

Rhaid i mi ysgrifennu atat. Mae gen i gymaint ar fy meddwl, gymaint dwi isio'i ddeud wrthat ti, a chyn lleied o amser i'w ddeud o. Ond mae hi'n anodd, mor anodd . . .

44

Mae Robert yn gorfod gafael yn ei law dde le â'i law chwith i'w hatal rhag crynu. Ond mae honno hefyd yn crynu, yn crynu nes bod yr inc yn diferu o'r pìn ysgrifennu i lawr ei fysedd ac ar hyd y papur . . .

*

Mae Meri wedi ildio'n anfoddog iawn o'r diwedd ac wedi mynd i'r gwely. Mae Rhys ac Ifan allan ar y clos yn smocio ac Esther a Martha'n eistedd wrth y tân. Fe benderfynodd Martha ddweud beth sydd ar ei meddwl.

– Fe ddyle fe ga'l gwbod. Am Jane, ble ma' hi, pam 'i bod hi 'na a beth yn gwmws yw 'i chyflwr hi. A mwy na hynny, taw Robert yw 'i dad e.

– Na!

– Ond 'sdim dewis 'da chi! Ma' fe'n mynd bant i ymladd drennydd! I'r ffrynt lein! Odych chi'n sylweddoli beth ma' hynny'n 'i olygu?

– O, odw, Martha fach, wy'n sylweddoli'n iawn.

– Ond dy'ch chi ddim yn folon iddo fe ga'l gwbod y gwir – cyn mynd a'n gadel ni.

– 'Mynd a'n gadel ni'! Shwt alli di weud shwt beth!

– Dim 'na beth o'dd 'da fi!

– Bydd ddistaw, groten! Ti wedi gweud hen ddigon.

– Ond Mam . . .

– Bydd ddistaw, wedes i! Dyw e ddim busnes i ti, achos fi sy'n gwbod ore!

– Ond falle bod y crwt yn wynebu'i ddiwedd! Heb ga'l gwbod dim!

– Ti'n mynnu rhoi halen ar y briw, on'd wyt ti? Croten galed wyt ti, Martha. Caled fel harn. Falle bo' ti'n glefer, ond beth yw'r pwynt ca'l llond pen o freins, a dim calon?

Fe aeth Esther yn rhy bell. Mae hi'n sylweddoli hynny. Mae'r ddwy, y fam a'r ferch, yn sylweddoli hynny. Ac mae'r fam yn gafael yn llaw ei merch, ac yn ymddiheuro.

– Ma'n ddrwg 'da fi, Martha. Do'n i ddim yn 'i feddwl e. Hen wraig fach ddidoreth odw i, wedi drysu'n lân. Ma'r cwbwl yn ddryswch, a finne'n becso shwt gymint amdanoch chi, yn dymuno'r gore i chi gyd, yn 'ych caru chi i gyd shwt gymint . . .

Ond ma' un peth yn 'y nghynnal i drw'r cwbwl. 'Yn ffydd i – y ffydd y daw Jane o'r uffern 'na ryw ddwyrnod, a'r ffydd y daw Ifan Bach 'nôl o'i uffern e yn fyw ac yn iach.

Mae adlewyrchiad fflamau'r tân yn byseddu wyneb Esther ac yn tasgu yn ei llygaid. Mae hi'n gafael yn llaw Martha ac yn ei gwasgu'n dynn.

– Yn y cyfamser, do's dim angen iddo fe wbod dim.

*

Mae Grace yn magu Robert yn ei breichiau. Beth arall oedd i'w wneud, a'r dyn a'i ben yn pwyso ar ei freichiau yn beichio wylo fel petai ei galon ar fin torri? Mae inc ar hyd ei ddwylo ac mae staen mawr glas ar ei grys gwyn o dan ei *smoking jacket*.

– Dwi'n methu'n lân â sgwennu . . . Yn methu'n lân â gorffan y llythyr 'ma . . . Y llythyr pwysig 'ma . . . Ato fo . . . At Ifan Bach . . .

Mae Grace yn aros nes bod y beichio wedi treio. Ac yna mae hi'n codi'r pìn sgrifennu o'r llawr ac yn eistedd wrth y ddesg.

– Robert bach, fe sgrifenna i fe i chi.

– Na . . . Fedrwch chi ddim . . . Mae 'na betha dwi isio'u deud . . . Petha mawr . . . Petha fydd yn peri poen . . .

– I fi?

Mae Robert yn amneidio'n drist. Mae Grace yn gwenu arno ac yn cyffwrdd â'i fraich yn ysgafn.

– 'Sdim byd yn mynd i beri poen i fi nawr. Wy'n gwbod y cwbwl. Fydd dim byd yn syndod i fi. Fydd dim byd yn neud dolur i fi – wir. Nawrte, dewch . . .

Mae Robert yn pwyso'n ôl yn ei gadair ac yn cau ei lygaid.

– Deudwch wrtho fo 'mod i'n 'i garu o. Deudwch wrtho fo 'mod i unwaith wedi caru'i fam o . . . 'Mod i'n dal i'w charu hi . . . Â'm holl galon . . .

Mae Robert yn agor ei lygaid ac yn gweld y dagrau yn llygaid ei wraig. Gydag ymdrech galed fe lwydda i godi ei law grynedig at ei boch, a chyffwrdd y gwlybaniaeth yn dyner â'i fysedd.

– Ma'n ddrwg gin i, Grace . . .

– Dim llefen dros 'yn hunan odw i, Robert bach, ond drostoch chi.

Mae'r ddau'n cofleidio fel dau sydd newydd syrthio mewn cariad am y tro cyntaf.

*

Mae Rhys a Martha'n matryd yn eu stafell wely. Yn ôl eu harfer maen nhw'n sefyll fel dau ddieithryn, â'u cefnau at ei gilydd, un bob ochor i'r gwely mawr. Does dim yn cael ei ddweud. Mae Martha'n hongian ei siwt dywyll a'i blows wen yn y wardrob fawr ac yn plygu'r gweddill a'u gosod ar y gadair frwyn. Mae dillad Rhys yn syrthio – na, yn cael eu gollwng fesul un – yn swp anniben ar y llawr. Mae Martha ar fin eu codi a'u plygu, yn ôl ei harfer, ond, am ryw reswm, fe ddaw pwl o ddiawlineb drosti, sy'n peri iddi dynnu ei gŵn nos cotwm dros ei phen a dringo i mewn i'r gwely.

*

Yr ochor draw i'r pared mae Ifan Enoc Jenkins yn gorwedd yn ei wely yn y bedrwm ganol, yn syllu ar ei iwnifform yn hongian fel corff llipa y tu ôl i'r drws. Does fawr ddim wedi newid yma – yr un garthen liwgar ar y gwely, yr un llenni blodeuog, yr un lluniau ar y wal. 'Duw Cariad Yw' a 'Gadewch i Blant Bychain Ddyfod Ataf i' wedi eu pwytho'n gywrain gan ei hen fam-gu; llun dyfrlliw o'r *Zadok*, llong hwyliau ei hen-ewyrth Enoc, ar y cefnfor mawr; a'i ffefryn mawr, *The Boyhood of Raleigh*. Y crwtyn bach, y cyw teithiwr, y darpar anturiaethwr mawr, yn eistedd yn llawn rhyfeddod wrth draed hen forwr, y wefr a'r cynnwrf yn amlwg yn ei lygaid. Onid yw'r byd yn estyn ei wahoddiad iddo? Onid oes yna, draw dros y môr, wledydd a chyfandiroedd newydd, gorlawn o ryfeddodau?

A nawr mae'r crwtyn bach penfelyn a orweddai yn y gwely hwn ar fin mentro ar ei deithiau a'i anturiaethau mawr ei hunan. Fe fydd myrdd o ryfeddodau'n ei aros yn y gwledydd pell, ond nid y rhai a lenwai ei ddychymyg wrth edrych ar y darlun hwn bob nos a bore.

Fe'i holwyd yn dwll gynnau, ond llwyddodd i osgoi'r atebion gwir.

– I ble ma'n nhw'n dy hala di?

– Dim syniad 'to.

– Am faint y byddi di bant?

– Doufis, dri . . .

– Fe eith e'n glou.

– Eith . . .

Rhes o gelwyddau noeth yn atebion i un sy'n hen gyfarwydd â hau celwyddau. Gwnaeth hynny ag arddeliad ers blynyddoedd. Celwydd ar ben celwydd nes ei bod hi ei hunan yn eu credu, siŵr o fod. A phawb arall. Pawb ond Ifan Enoc Jenkins nad oedd yn gwybod dim. Ond fe fydd yntau'n ddigon pell o'r cawdel mawr celwyddog cyn bo hir . . .

Waeth iddo gyfaddef. Mae arno ofn. Ofn sy'n cnoi i mewn i'w ymysgaroedd. Ofn 'drw' dwll 'i din a mas'.

– *It's bloody marvellous is fright. Keeps you on your toes, my boys. Keeps you alive an' kicking. Keeps you from being dead, it does.*

Ac fe ddylai Thompson wybod.

– *Seven weeks, four days and twenty bloody hours in the stinking trenches. Shitting myself with fright! But I'm still alive an' kicking!*

Gall gicio pêl yn dda â'i goes bren.

Mae Ifan yn cau ei lygaid . . .

*

Mae Rhys yn gorwedd ar ddihun yn syllu ar y nenfwd, ei lygaid yn troelli drwy'r we o graciau mawr a mân sydd yn y plaster. Craciau fel gwe corryn yn ymestyn o'r canol i'r corneli, y rhai mawr yn esgor ar rai llai, a'r rheiny'n ailymuno â'r rhai mwy bob hyn a hyn. Fe wena wrth droi ei lygaid draw i'r cornel dde, at we arall, un go iawn, sy'n llechu rhwng y drws a'r wardrob. Mae ganddo edmygedd mawr o'r corryn. Blwmin corryn yn meiddio treiddio i ymerodraeth Mrs Esther Jenkins! Yn mentro herio'i threfn ddiysgog o gymhendod a glanweithdra! A mwy na hynny, dyw ei merch ddim wedi sylwi arni chwaith. Ond dyw hynny ddim yn syndod. Mae llawer mwy i fywyd Martha'r dyddiau hyn na chadw'r tŷ yn gymen ac yn lân. Ei gwaith yw popeth iddi, sy'n golygu bod cadw tŷ a rhedeg fferm rywle ar waelod ei rhestr o flaenoriaethau. Ar y gwaelod yn lân y mae ei gŵr.

A phwy all ei beio? Gwas bach o ffarmwr ydyw, hen dwpsyn bach nad oes digon o grebwyll ganddo i gynnal sgwrs ystyrlon ar unrhyw bwnc o bwys. Gŵyr yn iawn ei fod yn jôc. Rhys Jones Ffynnon Oer yn traethu'n huawdl am broblem llyngyr a dipo defaid, am godi ffens a phlygu clawdd, a'i gleferstics o wraig yn trafod pynciau dyrys megis *philosophy* a *politics* a chyfraith gwlad. Hi sy'n 'gwisgo'r trowser', hi sy'n ennill y cyflog angenrheidiol. A hi sy'n treulio'i dyddiau a'i phen yn ei llyfrau neu yn ei phlu. Gadael am ei gwaith am naw y bore, cyrraedd adref, weithiau, erbyn chwech, gan amlaf dipyn hwyrach, ar ôl 'gweithio'n hwyr' neu 'aros 'mla'n'. Mae'r Sadyrnau'n gallu bod yr un mor ddiflas, pan fydd angen iddi 'helpu mas' neu pan fydd 'llwyth o waith i'w glirio'. Rhwng ei thripiau pythefnosol hi ac Esther i Gaerfyrddin i weld Jane, mae dyddiau Martha'n llawn. A'i fywyd yntau'n ddim ond wythnos ar ôl wythnos o lif undonog, diflas, o gapel deirgwaith ar y Sul, seiet a chyrddau gweddi a chyfarfodydd pregethu, a'r mart yn Llambed bob dydd Mercher yn uchafbwynt ar y cyfan.

Na, mae 'na un peth pwysig sy'n ei gynnal, yn ei gadw rhag diflastod llwyr – ei nosweithiau ar ddyletswydd fel aelod o'r *Home Guard.* Fe sylweddola'n iawn mai'r rheiny sy'n ei gadw'n gall y dyddiau hyn. Mawr yw ei fraint a'i gyfrifoldeb wrth wneud ei ran fach dros ei wlad. Roedd Ifan yn cytuno, gynnau, a'r ddau'n mwynhau smôc yng nghlydwch tawel y beudy, a'r lamp olew yn goleuo'i gasgliad o bosteri *Plough for Victory.*

– Gredi di byth, Ifan Bach, gymint wy'n cenfigennu wrthot ti. 'Sen i flwyddyn ne' ddwy'n iau . . .

– Fyddet ti ddim isie mynd i ymladd!

– Fe elen i fory nesa! Ond y cwbwl alla i neud yw 'whare plant' 'da'r *Home Guard.*

– Y'ch chi'n neud gwaith pwysig. Pwy sy'n 'i alw fe'n 'whare plant'?

– 'Y ngwraig i'n hunan.

– Twt, Martha yw Martha. Wastad wedi bod yn wahanol.

Yn sydyn, fe sylweddola Rhys fod Martha, er ei bod yn gorwedd yn wynebu'r pared, yn dweud rhywbeth wrtho.

– Beth sy'n dy gorddi di, Rhys?

– Dim.

– Pam wyt ti'n gorwedd fel styllen?

– Wyt ti'n un dda i siarad, yn troi dy gefen arna i fel'na!

– Trio cysgu odw i!

– Wel cysga 'te! Paid â gadel i fi dy stopo di!

Yn sydyn mae Martha'n troi ato, ei llygaid tywyll yn pefrio.

– Reit, wy 'di ca'l hen ddigon ar dy bwdu di! 'Mond achos bo' ti 'di ffaelu cadw trefen ar gwpwl o *landgirls* direidus! Mae Rhys yn syllu arni fel petai wedi dod ar draws dieithryn yn ei wely. Ac yna'n sydyn fe afaela ynddi gerfydd ei hysgwyddau a'i gwthio'n ôl yn erbyn y gobenyddion a dechrau codi ei gŵn nos dros ei choesau.

– Paid, Rhys!

– Bydd ddistaw!

– Rhys, ti'n neud dolur i fi!

– Ma' perffeth hawl 'da fi!

– Rhys – plîs paid . . .

*

Yr ochor draw i'r pared yn y bedrwm ganol mae Ifan Enoc Jenkins yn rhoi ei ben o dan ddillad y gwely er mwyn ceisio dianc.

*

Yn Plas House, yn Maidenhead, mae Grace yn gorffen darllen y llythyr i Robert.

– 'Dwi'n ymbil arnat ti, o waelod fy nghalon, i gysylltu â mi cyn i ti fynd i ffwrdd. Bendith arnat ti, fy mab. Dy annwyl dad.'

Â chryn boen ac anhawster, mae Robert yn llwyddo i arwyddo'i enw ar waelod y llythyr. Ond nid dyna yw diwedd y ddefod. Mae Robert yn agor blwch cerfiedig sydd ar ei ddesg, ac yn gafael yn ofalus mewn dau *photograph* bach a felynwyd gan amser. Un o Jane, yn ferch ifanc, hardd; a'r llall o Ifan Bach yn fabi, bonet wen am ei ben, yn crychu'i dalcen rhag yr haul – haul tanbaid diwrnod braf o haf yng ngardd Ffynnon Oer.

Mae Grace yn syllu ar y lluniau, ac yna'n eu gosod yn ofalus gyda'r llythyr mewn amlen a gyfeiriwyd at Private Evan Jenkins. Mae hi'n gwenu ar ei gŵr.

– Y peth cynta bore fory.

– Diolch i chi, Grace . . .

Ac yna mae Robert yn suddo'n swp i'w gadair olwyn. Mae hi'n bryd i James ei roi yn ei wely.

*

Fore trannoeth, mae Esther ac Ifan yn mynd drwy'r rigmarôl arferol o esgus bod popeth fel y buon nhw erioed. Mae Martha wedi gadael am ei gwaith, a Meri am yr ysgol, a does dim sôn am Rhys. Fe ddiflannodd gyda Wil y *War Ag.* i hau shiprys yn Cae Glas. Ac mae'r *landgirls* wrthi'n gorffen carthu'r beudy. Mae'r uwd a'r bara menyn yn cael ei lwytho o flaen Ifan, a'r gorchymyn i fwyta 'fel 'set ti gatre' yn codi gwên.

– Beth sy arna i, grwt? Gatre *wyt* ti ontefe!

Ie, gartref y mae Ifan Bach. Yma, ar ei aelwyd, gyda'i deulu, yn ei gynefin. Yr un hen drefn yn cael ei chynnal, yr un hen bethau'n cael eu dweud, yr un hen gelwyddau'n cael eu credu. Does dim byd wedi newid.

Dyw hynny ddim yn wir. Mae popeth wedi newid. A'r rhyfel, i raddau helaeth, sy'n gyfrifol. Trefn wahanol yn Ffynnon Oer; ffermwriaeth ardal gyfan wedi newid; syniadau a daliadau newydd, dieithr, a pherthynas pobol â'i gilydd wedi cael eu heffeithio am byth. Ac ambell berthynas fregus wedi'i sarnu. Fe gofia Ifan duchan ac ochneidio anifeilaidd Rhys yr ochr draw i'r pared neithiwr. Fe gofia ymbil Martha ar ei gŵr i adael llonydd iddi. Fe gofia'i hwylo distaw . . .

Mae Esther yn ymosod yn ddidrugaredd ar y dorth.

– Ma' Rhys ar 'i dra'd ers whech. Achwyn bo' ti di addo rhoi help llaw i odro. Wedes i wrtho fe am roi llonydd i ti, gan bo' ti ar dy wylie. Dere! So ti'n byta dim o'r uwd 'na! A ma' bacwn a wy i ddod 'to! Daw bola'n gefen, cofia! A fydd dim lot o siâp ar fwyd le wyt ti'n mynd. A fentra i swllt na chei di ddim uwd cystal â'n un i! A chei di ddim rhoi mêl ar 'i ben e chwaith!

Gweld Ifan yn dal i chwarae â'i uwd sy'n peri iddi synhwyro fod rhywbeth yn bod. Y peth gorau yw parhau i siarad fel pwll y môr.

– Do'dd Meri ddim isie mynd i'r ysgol bore 'ma. Isie aros gatre 'da'i hwncwl Ifan. Ond hi o'dd fod darllen yn yr *Assembly,*

51

wedyn o'dd raid iddi fynd. Ma' hi'n neud yn dda iawn yn 'rysgol, whare teg iddi. Lot fowr yn 'i phen hi. Tynnu ar ôl 'i mam. O't ti'n gwbod bod Martha'n bartner llawn i Griffiths erbyn hyn? O's rhwbeth yn bod ar yr uwd 'na? Ma' Rhys yn byta dou fasned bob bore. Fydd e 'ma 'whap, yn whilo am 'i de deg. Fe a'r *landgirls.* 'Na ti ddwy haden! Ma' shwt gymint o waith dysgu arnyn nhw!

– Pwy yw 'nhad i?

Mae'r gyllell fara'n hofran uwchben y dorth. Mae'r cloc yn taro unwaith – mae hi'n hanner awr wedi naw.

– Wy ddim yn gwbod, Ifan bach . . .

Mae Ifan yn gwthio'i blât o'r neilltu ac yn syllu arni.

– Olreit 'te, beth yw hanes Jane?

– Jane?

– Ie. Ble ma' hi? *Shwt* ma' hi?

– Pam wyt ti'n holi?

– Am 'i bod hi'n bryd i fi ga'l gwbod – ca'l gwbod popeth. Dim rhyw hanner stori fel honno ges i flynydde'n ôl, pan ges i glatshys nes o'n i'n tasgu. Crwtyn bach un ar ddeg oed yn ca'l gwbod nad 'i fam o'dd 'i fam! Yn ca'l gwbod taw 'i whâr o'dd 'i fam! 'Na chi glatshys!

– Ond o'dd raid i fi weud . . .

– O'dd, rhag ofon y clywen i 'da rhywun arall! Ond wedyn, beth ddigwyddodd? Fuodd raid i fi roi'r peth mas o 'meddwl i, rhag ca'l mwy o ddolur. A 'na beth 'na'th pawb arall hefyd. Neb byth yn sôn amdani. Ond ma'n rhaid i fi ga'l gwbod erbyn hyn.

'Hau'r gwynt, medi'r corwynt'. Dyna'r geiriau sy'n chwyrlïo drwy ben Esther y funud hon. Ond dyw hi ddim am ildio'r gwir.

– Fe dda'th Jane 'nôl fan hyn i Ffynnon Oer. Do'dd pethe ddim yn dda rhynti hi a'i gŵr . . . Ond fe ddiflannodd hi, 'nôl i Lunden. A chysylltodd hi byth â ni wedyn . . .

– Pam y'ch chi'n dala i balu celwydde? Ma' Jane – ma' *Mam* – yng Ngha'rfyrddin, ers blynydde, yn ca'l 'i chloi lan, am 'i bod hi off 'i phen.

Mae'r gyllell, o'r diwedd, yn cael ei gosod ar y ford, ac mae Esther yn eistedd yn ddiymadferth.

– Shwt wyt ti'n gwbod hyn?

– 'Sdim ots shwt wy'n gwbod! Beth sy'n bwysig i fi nawr yw ca'l ateb gonest. Wedyn fe ofynna i 'to! Pwy yw 'nhad i?

– Wy newydd weud . . .

Yn sydyn mae dwrn Ifan yn taro'r ford nes bod y llestri'n ysgwyd a'r te'n slopian dros y soser.

– Y'ch chi newydd weud celwydd! Yn gwmws fel y'ch chi wedi'i neud ar hyd y blynydde! 'Na fe, os taw 'na beth y'ch chi'n moyn!

Cyn i Esther allu dweud na gwneud dim arall mae Ifan wedi brasgamu i fyny'r staer a chau drws ei stafell wely'n glep.

*

Mae'r *landgirls* yn cael smôc fach slei wrth dalcen y twlc mochyn. Fe hwpwyd y whilbered olaf o ddom draw i'r domen, felly mae hi'n hen bryd cael hoe fach cyn mynd i'r tŷ i gael te deg. Ond mae 'na un gêm fach bert i'w chwarae cyn hynny, gêm sy'n ymwneud â Rhys a Wil y *War Ag.* a'r gamfa sy'n arwain o waelod y lôn i mewn i Gae Glas.

Mae lleisiau'r ddau'n nesu ac mae'r ddwy'n diffodd eu sigaréts cyn cerdded yn hamddenol i'w cyfarfod. Wrth i Wil godi'i goes dros y gamfa mae Mavis yn gweiddi arno:

– Watsha dy hunan, Wil bach! Rhag ofon i ti neud niwed i dy betingalw! Beth wyt ti'n feddwl, Brend?

– Fydde'i fusus e ddim yn hapus iawn! 'Beth 'nest ti iddi, Wil bach? Ma' hi wedi camu i gyd!'

– 'Sori, Martha, fe gamodd hi wrth i fi fynd dros y gamfa!'

Mae Rhys yn syllu'n surbwch arnyn nhw, ond mae Wil wrth ei fodd.

– Doniol iawn, ferched bach! Ond dim Martha yw enw 'ngwraig i!

Mae Mavis yn edrych i fyw llygaid Rhys cyn ateb yn ddistaw:

– Nage, wrth gwrs, gwraig Mr Jones yw hi.

Mae llygaid y pedwar yn gwibio o'r naill i'r llall. Wil sy'n torri ar y tensiwn.

– Jawl eriôd, Rhys bach! 'Na gobs yw'r rhain!

– Ti'n meddwl 'nny?

Un edrychiad llym arall ar Mavis, ac yna naid dros y gamfa ac mae Rhys yn brasgamu i lawr y lôn tuag at y tŷ. Cyn iddo fynd ddecllath, mae Ifan, yn ei iwnifform, a'i fag ar ei gefn, yn martsio i'w gyfarfod, ac Esther yn baglu ar ei ôl. Esther, yr hen wraig eiddil, yn fyr ei gwynt a'i llygaid yn llawn dagrau, yn gweiddi arno ac yntau'n cymryd dim sylw ohoni.

– Ifan! Paid â mynd! Plîs paid â mynd fel hyn! Aros i fi ga'l egluro! Fe weda i'r cwbwl wrthot ti!

Ac mae Ifan yn stopio'n stond – ac yn troi at Esther, sy'n gafael yn ei fraich ac yn syllu i fyw ei lygaid.

– O'n i isie gweud y cwbwl wrthot ti flynydde'n ôl. Fe ddylen i fod wedi gweud y cwbwl. Ond allen i ddim. Er dy les dy hunan o'dd raid i fi gwato pethe. Ond nawr ma'n rhaid i ti ga'l gwbod popeth.

Mae Wil a'r *landgirls* yn edrych ar ei gilydd yn anesmwyth ac yn cilio'n ôl at y gamfa. Mae Rhys fel delw'n gwrando ar y cyfan.

– Ma' Jane – dy fam – yn dost, yn dost *iawn*. Y'n ni'n gneud 'yn gore drosti, mynd i'w gweld hi'n gyson, neud yn siŵr 'i bod hi'n gysurus. Druan fach â hi . . .

– A pwy yw 'nhad i?

– Wy ddim yn gwbod . . .

– Wel! Ma'n well i chi ga'l gwbod! A ma' hi'n amlwg taw fi yw'r un i weud wrthoch chi! Robert Roberts yw 'i enw fe. *Doctor* Robert Roberts. *Wncwl* Robert. Blydi Wncwl Robert! Fe yw 'nhad i! Wedyn cadwch 'ych celwydde!

Mae Rhys yn camu atyn nhw.

– Gan bwyll nawr, Ifan . . .

– Cer o'n ffordd i, Rhys!

Mae Ifan yn troi mor sydyn nes peri i Esther lithro ar gerrig mân y lôn, a syrthio ar ei phengliniau. Mae hi'n gweiddi ei enw wrth iddo fartsio oddi wrthi, heibio i Rhys, heb edrych arno, heibio i Wil a'r *landgirls,* i fyny'r lôn nes bod sŵn ei sgidiau hoelion mawr yn diflannu rownd y tro.

Does dim i'w glywed nawr ond llefain torcalonnus Esther. A does yr un o'r pedwar yn gwybod beth i'w wneud. Oes, mae un yn mynd ati ac yn ei helpu i godi, yn rhoi ei braich am ei hysgwyddau crymedig, ac yn ei harwain yn addfwyn, araf i lawr y lôn, nes cyrraedd y tŷ. Ac i mewn â'r ddwy i'r gegin.

Y funud honno, mae Rhys yn sylweddoli bod calon fawr gan Mavis.

*

Doedd Martha ddim yn gallu credu'i llygaid. Hwn, o bawb, wedi cerdded i mewn i'w swyddfa, mor jocôs â phetai e'n berchen ar y lle, ac wedi ei chyfarch fel hen ffrind.

– Shwt wyt ti, Martha? Ers blynydde!

Ie, ers blynydde . . . glannau afon Aeron yn galeidosgop o liw, yr haul yn machlud mewn awyr binc, dail gwyrdd yn sgubo'r dŵr, a hithau mewn ffrog las. Dyna'r hyn a ddaeth i'w meddwl wrth syllu'n syn ar David Davies yn sefyll megis plentyn bach o'i blaen. Ac fe gofiodd ei union eiriau'r noson honno:

– Ti'n bert iawn, Martha . . . Wy'n dy garu di . . .

Pam nad oedd hi'n cofio'r un olygfa fel ag yr oedd drannoeth? Llwydni'r afon a'r awyr, y cymylau'n drwm, a'i wyneb yntau'n galed fel carreg wrth boeri'r geiriau chwerw:

– Cer i'r jawl!

Roedd hi'n cofio. Roedd hi'n cofio'r cyfan megis ddoe, yn enwedig ei lais cras wrth iddo weiddi arni am y tro olaf cyn troi ei gefn . . .

– Wy'n dy garu di, Martha!

A'i hateb hi o dan ei gwynt . . .

– A finne tithe . . .

A nawr, dyma nhw'n wynebu'i gilydd am y tro cyntaf ers deng mlynedd, a hithau newydd sgubo'r llawr ag ef am fentro – am feiddio – bod mor fyrbwyll a hunanol ac anystyriol â dod fan hyn i'w gweld. Eisiau barn cyfreithiwr – dyna oedd ei esgus. Ac fe fydd angen pob cymorth a chefnogaeth arno ar ôl bwrw'r bwmbwrth yn y goedwig.

– Conshi'n rhoi wheret i foi lleol! Sam Morannedd o bawb! 'Na beth *fydd* testun siarad drw'r holl ardal!

– Ma' fe'n bygwth mynd â fi i gyfreth am *assault*!

– 'Neith e ddim. Gormod o gost a ffwdan i hen gachgi o fwli. Aros i weld beth ddigwyddith. A gobitho'r gore.

Mae rhywbeth rhyfedd yn mynd drwyddi wrth ei weld yn gwenu arni, ac wrth glywed y geiriau nesaf.

– Gobitho'r gore . . . 'Na'n gwmws beth wy *yn* 'i neud, Martha. 'Na beth wy wedi'i neud ers blynydde mowr! 'Na pam ddewises i ddod fan hyn i Aberaeron, yn gonshi bach, yn hytrach na mynd bant i ymladd.

– Wy ddim yn credu hyn!

– Ond ma' fe'n berffeth wir.

*

– *You may go, Jenkins, to read the letter in private.*

Mae hi'n hwyr y nos ac mae Ifan Enoc Jenkins yn sefyll yn dalsyth o flaen desg Devonald, yn syllu ar yr amlen a roddwyd yn ei law. Yn sydyn fe benderfyna'i hagor yn chwyrn, i ddatgelu llythyr a dau *photograph* bach wedi melynu gan oed. Gŵyr pwy yw'r ferch ifanc, a gŵyr yn iawn pwy yw'r babi sy'n crychu'i dalcen rhag yr haul – mae'r un llun mewn ffrâm ym mharlwr Ffynnon Oer. A gŵyr heb edrych ar y llofnod anniben gan bwy y mae'r llythyr. Wrth iddo'i ddarllen mae llais Devonald fel rhyw wenynen fygythiol yn ei glust:

– *Jenkins, you need to know a thing or two. Your uncle is a dying man. His illness is a bugger – an immensely cruel one. It's called 'creeping paralysis' and, as its name suggests, it does just that. It creeps up slowly, crippling you, bit by bit, muscle by muscle, until you can't move, can't swallow, can't breathe. He's dying, Jenkins, a very slow and painful death. And all he wants to do is to reconcile himself with you. Is that too much to ask?*

Mae ateb Ifan Enoc Jenkins yn gwbl glir. Fe rwyga'r llythyr yn ddarnau mân, gan eu gollwng fel conffeti ar y llawr. Ond sylla ar y lluniau unwaith eto, a'u rhoi'n ddiogel yn ei boced, cyn edrych yn llawn her ar ei Brif Swyddog.

– *With your kind permission, Sir . . .*

Mae Devonald yn chwifio'i law yn ddiamynedd arno. Ac mae Ifan yn martsio allan.

*

– Wyt ti'n hapus nawr?

– Beth ti'n feddwl?

– Ti o'dd mor daer y dyle Ifan wbod y gwir. Er mwyn clirio pethe, er mwyn tawelu cydwybod pawb. A nawr drycha beth sy wedi digwydd! Ma' fe wedi mynd! A ma'r cwbwl yn wa'th nag eriôd! Y cawdel rhyfedda!

A'i gŵr yn bytheirio ac yn dannod a thaflu cyhuddiadau, mae

meddwl Martha yn ôl ei swyddfa gyda'i chyn-gariad. Sut oedd hi'n bosib bod mor angerddol o falch o'i weld – a'i gasáu a'i ffieiddio'r un pryd? Oedd hi'n bosib teimlo casineb a chariad yr un pryd?

– Do'dd 'da ti ddim hawl, David! Dod fan hyn, agor hen glwyfe!

– Sa i isie neud niwed i ti, Martha.

– Niwed i *fi* – ne' niwed i bobol sy'n bwysig i fi?

– Niwed i neb. Shwt ma'r hen Rhys?

– Yn iawn. A ma'n perthynas ni'n iawn. Yn well na fuodd hi eriôd.

– Gwd.

– Ie, 'gwd'. A chei di na neb arall 'i whalu hi!

– Martha, gwranda arna i, plîs . . .

– Dwy funud s'da ti . . .

– Ddeng mlynedd 'nôl, pan adawes i ti fynd . . .

– *Fi* a'th, David! Cofia di hynny! A fe es i o 'ngwirfodd!

– Do fe? Beth am y 'teulu' a'r 'tylwth' a'r 'gwreiddie' a'r 'perthyn'? Rheiny o'dd yn dy glymu di. Rheiny o'dd dy flaenoriaethe di.

– A 'na beth y'n nhw o hyd! Felly cer!

– 'Na beth wyt ti isie?

– Ie! A paid â dod 'nôl 'ma 'to! Wyt ti'n deall?

Rhyw bum eiliad o oedi, a nòd fach sydyn – ac fe ufuddhaodd David i'w gorchymyn a'i gadael yn sypyn emosiynol, yn rhy emosiynol i wynebu'i chleient nesaf. A nawr, mae ei gŵr newydd ofyn iddi a yw hi'n hapus, a'r diawl newydd ei chyhuddo o greu'r 'cawdel rhyfedda'. Mae ei mam yn y gwely ers oriau, yn torri ei chalon ar ôl Ifan Bach. Mae ei merch wedi mynd i'w gwely yn ei phŵd, gan fod 'bywyd yn ddiflas' a bod 'pawb bob amser yn grac'. Ac yn sydyn mae Martha wedi cael hen ddigon.

– Rhys, pwy 'gawdel' odw i wedi'i greu? Shwt allith pethe fod 'yn wa'th nag eriôd'? Wyt ti'n siarad dwli, fel wyt ti wastad yn neud?

– O ie! Siarad lawr â fi, fel arfer! Y gyfreithreg a'r gwas ffarm! Y fenyw glefer a'r twpsyn bach dwl! Wel o leia ma' 'da'r twpsyn bach dwl galon fowr!

57

– A o'dd e'n galon i gyd, neithwr, on'd o'dd e? Pan o'dd e'n ymosod fel anifel ar 'i wraig!

*

– *Thank you, Major Devonald . . . Yes, I'll tell him . . . Yes, good night . . .*
Ond does dim angen iddi ddweud dim wrtho. Fe ddeallodd Robert y neges cyn gynted ag y cododd Grace y *telephone.* Fe ddeallodd James hi hefyd. Dyna pam y mae'n hofran yn y cefndir, yn barod ei gysur a'i gymwynas. Ond mae gan Robert ei wydraid o gysur parod, ac fe'i cwyd yn dalog ar ei was.
– *You may go, now, James. I'll sleep soundly. I've got my anaesthetic at the ready . . . And James – thank you . . .*
Nòd o'i ben ac mae'r gwas yn mynd, yn ufudd a digwestiwn, fel arfer, gan adael Grace a Robert i chwarae cath a llygoden. Ond p'un yw p'un?
– Robert, pam neloch chi wrthod dod 'da ni lawr i'r seler?
– I be, Grace fach. Waeth i'r Gelyn Almaenig achub y blaen ar y Gelyn Angau.
– Pidwch â siarad fel hyn!
– Mae o'n berffaith wir.
– Y blwmin crwt 'na yw'r drwg.
– Ia, debyg.
Mae Grace yn mynd i eistedd ar y soffa.
– Robert, beth arall sy'n 'ych gneud chi'n ddiflas?
– *Pwy* arall 'dach chi'n 'feddwl?
Ac mae Robert yn gwenu arni dros ei wydr brandi.
– Dwi'n gwbod, Grace, amdanoch chi – a Pritchard.
– Gwbod beth?
– Dowch, peidiwch â gwadu. Sgynna i mo'r nerth i ddadla. Y cyfan dwi isio'i ddeud ydi 'mod i'n dallt. Dwi am i chi gael 'cysur' – o dan yr amgylchiada. Gresyn i chi ddewis ffasiwn 'gysur' annheilwng ac annymunol. 'Dach chi'n haeddu gwell. Ond dyna fo. Pawb at y peth y bo yn yr hen fyd yma, yntê . . .
Doedd ei dagrau ddim yn annisgwyl. Roedd ei gweld yn codi ac yn dod at ei wely â'i breichiau'n llydan agored yn dipyn o syndod, ond doedd hynny'n ddim o'i gymharu â'r ffordd y plygodd drosto a'i gusanu'n llawn angerdd.

– Ma'n ddrwg 'da fi, Robert . . .

– Dwi isio i chi fod yn hapus, Grace . . .

Maen nhw'n gwenu ar ei gilydd.

– Nos da . . .

– Nos da.

Ac mae hi wedi mynd, gan ei adael yntau ar ei ben ei hunan am y nos. Bu'n ddiwrnod hir a phoenus. Fe fydd cysgu'n braf. Ond mae dau orchwyl pwysig i'w cyflawni'n gyntaf.

Mae deialu'n anodd a'r bysedd mor wan a chrynedig, ond mae'r llais yn gadarn ac yn gryf.

– Pritchard? Dwi isio diolch chi, am fod yn gefn i 'ngwraig i. A dwi isio gofyn cwestiwn i chi. 'Dach chi'n mwynhau 'i ffwrchio hi?

Mae Robert yn gwenu wrth glywed y distawrwydd y pen arall i'r lein.

– Edrychwch ar 'i hôl hi – y llyffant.

Ac mae'r *telephone* yn cael ei osod yn grynedig yn ei le. A nawr, rhaid paratoi ar gyfer yr ail orchwyl. Mwy – lot mwy – o frandi'n gyntaf . . .

*

– A llyffant! *That's what he called me, Grace! A bloody* llyffant!

– Paid â becso nawr.

– *Fe* ddyle blydi becso, a fynte'n marw ar 'i dra'd! Ta beth, shwt wyt ti?

– Yn well o glywed dy lais di.

– Licen i fod 'da ti.

– Ma'r *telephone* yn gneud y tro . . .

– *Oh no it doesn't! I want to do nice things to you* . . .

– Fel beth?

– Gei di weld fory . . .

– Fe fydd raid i fi roi mwy o sylw i Robert, druan, o hyn 'mla'n.

– Twt, isie mwy o *morphine* fydd arno fe o hyn ymla'n, dim 'sylw'. *Brandy and morphine, now that's what I call heaven!*

*

59

Fe fyddai ei hen ffrind, Oliver, yn chwerthin. Dyma beth yw *finesse*! Y nodwydd yn gwrthod ufuddhau i'w law grynedig; ymdrechu – a methu dro ar ôl tro – dod o hyd i wythïen; a dim nerth yn ei fysedd i wasgu'r syrinj i'w heithaf. Ond fuodd e erioed yn un i ildio'n hawdd, ac o'r diwedd, fe lwydda . . .

Yfed gweddill y brandi fel gwobr gysur. Y gwydr yn syrthio o'i law ac yn torri'n ddau ddarn ar y bwrdd. Ond beth yw'r ots? Rhywun heblaw fe fydd yn codi'r darnau bore fory.

Does dim i'w wneud bellach ond pwyso'i ben ar ei freichiau, a chysgu.

*

HAF, 1941

– Fe gofiwn ni, Arglwydd, ar derfyn dydd fel hyn, am holl blant bach y byd, yn enwedig y rheiny sy'n diodde oherwydd rhyfel creulon. Y rheiny ym Mhrydain Fawr, yn yr Almaen bell, yn holl wledydd Ewrop, pawb sy wedi colli rhywun heddi, a fydd yn colli rhywun fory, yn dad ne'n fam, yn frawd ne'n whâr, yn dad-cu ne'n fam-gu. Fe gofiwn ni hefyd am Miss Samuel, a glywodd ddoe bod Dafydd, ei brawd, wedi ca'l dolur mowr wrth ymladd. A fe ofynnwn ni ambell gwestiwn, megis 'Pam?', 'I beth?'. Beth yw pwynt yr holl ddolur? Beth yw pwynt yr holl ladd? Pam na allwn ni fod yn ffrinds â phawb? O, Arglwydd, gwna ni gyd yn ffrinds. Er mwyn Dy enw, Amen.

Ar ôl corws o 'Amens' does neb yn cyffro, neb yn codi'i ben. Mae'r llygaid yn dal ynghau a'r dwylo ynghyd, nes derbyn yr '*all clear*'.

– Prynhawn da, blant.

– Prynhawn da, Mister Lewis. Prynhawn da, Miss Samuel.

– Reit 'te, bant â chi – y plant lleia'n gynta.

Ac allan â nhw yn un rhes fywiog ond disgybledig.

– Dim rhedeg, Tomos Llain! Glywest ti, Huw Defi? Beth yw'ch hast chi, gwedwch? A Meri Ffynnon Oer – gad lonydd i Ianto Bryn!

Mae sŵn eu clocsiau a'u sgidiau hoelion mawr yn atseinio y tu allan ar yr iard cyn diflannu. Ac yna tawelwch, heblaw am sŵn Luther yn casglu ei lyfrau a'i bapurau, a Miss Samuel yn esgus bod yn brysur yn cau'r piano ac yn chwilota am rywbeth yn ei bag. Ac yna'n clirio'i llwnc.

– Mr Lewis . . .

– Ie?

– Licen i ga'l gair – ynglŷn â drennydd. Ma' pawb yn siarad . . .

– Wy'n hen ddigon cyfarwydd â hynny, Miss Samuel fach. Ewch chi gatre nawr, at 'ych mam, druan. 'Digon i'r diwrnod ei ddrwg ei hunan', ontefe?

*

Mae Meri Ffynnon Oer wedi cael hen ddigon. Mr Lewis y Scwlmishtir yn pigo arni drwy'r dydd, Ianto Bryn a'i hen bryfóc dwl yn ei gwneud hi'n benwan, a nawr, a hithau newydd gyrraedd adre ac yn awchu am gael te, dyma'i mam-gu'n rhoi ordors iddi bwno'r fatres blu sy'n hongian ar y lein, a hynny er mwyn paratoi ar gyfer y ddwy gyfnither Llundain sy'n dod i aros drannoeth.

– Pwna, groten!

– Wy *yn* pwno gymint galla i!

– Nagwyt! Allen i neud yn well 'yn hunan, a finne'n hen wraig fusgrell!

Byddai Meri wrth ei bodd yn dannod bod croeso iddi bwno'r blwmin peth ei hunan a gadael llonydd iddi hithau fynd i gael ei the. Ond does neb byth yn siarad fel'na â Mam-gu. Does neb byth yn dadlau â hi. Felly does dim amdani ond gafael yn y pastwn, gwrando ar Esther yn achwyn bod 'shwt gymint i'w neud cyn iddyn nhw gyrra'dd' a phwno nes bod ei braich yn dost a'r dwst yn tasgu. A mwmblian rhywbeth o dan ei gwynt.

– Beth wedest ti?

– Ffaelu deall odw i, pam bo' raid iddyn nhw ddod 'ma o gwbwl. Pam na allan nhw aros yn Llunden?

– Fforshêm i ti, groten! Dwy gnither fach neis yn dod i aros 'da ti. A co ti â rhyw swch hir, lawr at dy dra'd!

– Ond wy ddim yn 'u nabod nhw! A dyw Charlotte ddim yn siarad Cymra'g! A 'sneb ohonon ni, heblaw Mam, yn galler siarad fowr o Sysneg!

– Fe fydd Olwen yn galler helpu. A fe fydd Charlotte fach yn dysgu Cymra'g whap, gei di weld. Nawr bwra di'n galetach!

– Fi fydd yn goffod rhannu bedrwm 'da nhw! Fydd dim lle i droi!

– Reit! Wy 'di ca'l hen ddigon! Dim mwy o'r achwyn 'na, gwgerl! Achos rho di dy hunan yn 'u sgidie nhw! Boms yn cwmpo ar 'u penne jyst bob nos! Meddwl di shwt ofon sy arnyn nhw! A co ti, yn meddwl amdanat ti dy hunan! Nawr clatsha di bant â'r fatres 'na – cyn i fi dy glatsho *di!*

*

62

Un fach arall y mae ei gwep at ei thraed yw Olwen Jenkins. Mae hi wedi pwdu, wedi stwbwrno'n lân, yn gwylio'i mam yn plygu ei dillad yn ofalus ac yn eu gosod mewn cês lledr, brown.

– Wy ddim yn mynd.

– Olwen, paid â dechre . . .

– Wy ddim yn mynd – a 'na ddiwedd arni!

Does dim pwynt i Lizzie geisio egluro a chyfiawnhau'r penderfyniad unwaith eto, na dannod y ffaith bod Charlotte wrth ei bodd â'r syniad o fynd i'r wlad. Byddai gan Olwen ei hateb bach parod, cyfleus, fel arfer.

– Wel geith hi fynd 'i hunan, 'te!

A does dim pwynt i Lizzie sôn am y perygl gwirioneddol o aros yn Llundain.

– Chi'n moyn 'yn hala i bant o Lunden am 'i bod hi'n rhy ddansherus. Wel, so hynny'n wir amdanoch chi a Dat?

– Ma'n *rhaid* i ni aros 'ma. Do's dim dewis 'da ni.

– 'Sdim dewis 'da *fi* ond ca'l 'yn hala bant at bobol wy ddim yn 'u nabod! 'Sdim dewis 'da *chi* ond aros i wynebu'r dansher! A'r cwbwl o achos y blwmin rhyfel 'ma!

*

– *Teddy's going with me, Mummy. And Topsy and Amelia. But there won't be much room in the bed for us all – me, Olwen* and *the dolls!*

– *It's a very big bed, so it won't be that bad.*

– *Bad? It's going to be great!*

Mae Charlotte wrth ei bodd wrth lwytho'i theulu helaeth o ddoliau i gwdyn mawr, a'i dillad i gês bach du. Mae'r cyfan wedi'u smwddio a'u plygu'n barod, a'r ddau ŵn nos bach newydd a'r ffrog fach las a wnïodd ei Anti Lizzie iddi ar dop y pentwr.

Heb yn wybod iddi, mae ei mam yn syllu arni'n drist. Fe fydd hi'n annioddefol hebddi, y groten fach fywiog, fyrlymus yma. Ond does dim dewis. Fe fyddai'r un mor annioddefol ei chadw yma, a phoeni'n barhaus amdani. Fe fydd y poeni parhaus am Timothy'n ddigon drwg. Ond yn ddistaw bach mae Jennifer yn falch fod y bwndel bach crwn yn rhy fach i'w anfon i Frynarfor. Ac fe ddôn nhw drwyddi, hi a Dan a Timothy . . .

63

Dyw hi ddim yn sylwi ar Dan yn dod i mewn i'r stafell ac yn sefyll wrth y drws yn syllu ar ei deulu. Dan, y dyn bach teulu, a fu unwaith yn ddafad ddu, yn hwrdd, yn staliwn ifanc, yn fochyn bach o grwt, yn anifeilaidd ei ymddygiad rhemp. 'Ond pan euthum yn ŵr' yw ei hanes bellach, a'r 'pethau bachgennaidd' peryglus wedi'u cloi am byth mewn cell yn Wormwood Scrubs.

Cael a chael fu hi. Gair yn erbyn gair. Trwch blewyn rhyngddo a chaethiwed hir. A'r cyfan oherwydd celwydd. Celwydd hen elyn, un a gafodd gam, un a ysai am unioni'r cam i'r eithaf. Un a ysai am ddialedd.

– *'E told me to do it, Me Lord! 'E paid me to burn the Jew! Set fire to 'is shop! 'E 'ated 'im, 'e did! 'E 'ates all Jews! 'E told me that 'imself!*

Celwydd ar ben celwydd, ac amheuon o bob cwr. John, ei gefnder, hyd yn oed, yn ei amau'n fawr, ar sail jôc neu ddwy ddiniwed. Ac Wncwl Robert – dim heddwch i'w lwch – y cythraul bach mewn croen, yn gwrthod gwneud dim, yn mwynhau'r holl sioe arteithiol fel rhyw ymherodr Rhufeinig yn y Coliseum. A Wyn Pritchard yn cachu brics am ei fod â'i fysedd mewn sawl cawl amheus, gan gynnwys yr un i brynu iard yr Iddew ar y cyd â Dan am arian bach, er mwyn cael lle i barcio'r tacsis, ac i adeiladu arno, maes o law, pan fyddai'r amgylchiadau'n well. Un peth yw plygu ambell reol ym myd busnes a buddsoddi. Mae 'na dwyll a thwyll, a gall ambell gelwydd golau fynd â chi ymhell. Ond peth arall, gwrthun, yw dablan mewn cynllwynion peryglus a dieflig. Dyna pam yr oedd y cyhuddiad mor ddychrynllyd, mor affwysol drist o chwerthinllyd. Daniel Jenkins yn annog gwehilion y gwter i niweidio cymydog mwyn, hen ffrind i'r teulu na ddymunai ddrwg i neb?

Ei deulu a'r hen Iddew fu ei achubiaeth. Ei rieni'n gwrthod ildio cam o'u cred ddiysgog nad oedd yn euog. Yr Iddew yn gwrthod credu y dymunai'r crwt unrhyw niwed iddo. Y llys yn gwrthod credu gair dihiryn. Ac fe'i rhyddhawyd. Er siom i'r heddlu ac i Wncwl Robert, er syndod i John a Lizzie, ac er rhyddhad a llawenydd i Isaac ac Annie, fe gafodd Daniel Jenkins ei draed yn rhydd.

A dyma fe, yn syllu ar ei wraig yn magu'u bachgen bach, a'i ferch yn paratoi i fynd am '*a long holiday*' gydag '*Aunt Esther and my country cousins'* yn Ffynnon Oer. Gwena arni a'i chofleidio.

– *You won't need that raincoat, Charlotte! It never rains in Brynarfor! No rain, no clouds, no fog . . .*

– *And no bombs, Daddy!*

– *No bombs, my baby.*

*

Mae'r frwydr ar ei hanterth yng nghegin Ffynnon Oer. Enoc a Martha sydd wrthi'n taflu taflegrau geiriol at ei gilydd, ac Esther yn porthi nawr ac yn y man. Luther, ei hen gyfaill, sy'n ei chael hi nes ei fod yn tasgu gan Enoc, a Martha, fel arfer, yn ei amddiffyn.

– Ma' fe fel asyn o stwbwrn! Os eith e mla'n fel hyn fe fydd e mas o'i job!

– Glynu at 'i egwyddorion ma' fe! Ma'n rhaid i chi barchu hynny!

– 'Egwyddorion'! Martha fach, dim ond mynd â'r plant i'r cyfarfod 'na drennydd sy 'dag e!

– A bradychu'i egwyddorion!

– Gwed wrthi, Esther! Sa i'n ddigon o sgolor . . .

– Ma' bai arno fe, Martha. Hwpo syniade i benne plant. Ma' fe'n ca'l shwt ddylanwad arnyn nhw. Wyt ti'n clywed Meri'n pregethu fan hyn jyst bob nos.

– Ma' hi'n siarad lot o sens.

– Sens! Ddyle fod c'wilydd arnat ti a dy dylw'th dy hunan – Ifan, Alun ac Edwin – i gyd mor ddewr, druen bach!

– Martha, mynd â'r plant i'r Memorial Hall, 'na'i gyd! Dim 'u hala nhw bant i'r ffrynt lein!

– Yn y ffrynt lein y byddan nhw os llusgith y rhyfel 'ma mla'n rhagor!

– Wel fe weda i hyn wrthot ti, fydde'n well 'da fi 'u gweld nhw yn y ffrynt lein na lan yn y fforest, yn cwato 'da chachgwn o gonshis!

Mae Martha'n distewi'n sydyn. Does ganddi ddim awydd i droedio ar dir peryglus. Mae hi'n ildio'r ddadl, ac yn mynd allan i gael awyr iach.

*

65

Mae Luther yn falch o weld ei hen ffrind. Bu'n hen ddiwrnod diflas – Miss Samuel yn clywed am anaf ei brawd, rhieni'n cwyno am na chaiff eu plant fynd i'r Memorial Hall, a Mr Byron Williams, ei ragflaenydd fel prifathro, yn talu ymweliad annisgwyl ag ef.

Annisgwyl? Peidied â'i dwyllo'i hunan. Roedd wedi ei ddisgwyl ers dyddiau. Nid Williams ei hunan, falle, ond rhywun go bwysig o'r Pwyllgor Addysg. Arwydd o faint eu gofid yw'r ffaith iddyn nhw anfon neb llai na'u cadeirydd i rybuddio'r hen rebel.

– Odych chi'n dwp, Mr Lewis? Odych chi'n sylweddoli beth alle ddigwydd?

– Beth bynnag ddigwyddith, Mr Williams bach, sa i'n mynd i annog plant bach diniwed i fod yn rhyfelgwn.

– Y gwir yw, 'sdim tamed o wahanieth os ewch chi ne' beido. Fe fydda i a Miss Samuel yn mynd â nhw.

– Whare teg i chi, wir.

– Wy'n 'ych rhybuddio chi, Lewis . . .

– Diolch yn fowr i chi. Ma' dyn mor lwcus o'i ffrindie yn yr hen fyd creulon 'ma.

A nawr, gyda'r nos fel hyn, yn sŵn plant yn chwarae ar sgwâr y pentref, dyma'r hen gyfaill Enoc yn ei wylio'n clymu rhosyn dringo wrth wal gerrig School House. Ond does fawr o sgwrs, dim ond seibiau tyn wedi'u pupro ag ymadroddion llym a phoenus megis 'dy gyfrifoldeb fel prifathro', 'hen heddychieth ddwl', a 'dylanwadu'n ddrwg ar blant diniwed'. A Luther yn ymatal rhag ymateb, gan ganolbwyntio ar sbrigau hir y rhosyn, a'u taenu'n rhaeadr lachar, goch dros y cerrig llwyd.

– So ti'n deall, Luther? Ma' pobol am dy wa'd di!

Tawelwch, heb ddim ond gweiddi a chwerthin plant yn chwarae *hopscotch* a chylch-a-bachyn. Ac yna Luther yn sibrwd, wrth syllu'n ddolefus ar ei gyfaill:

– Am 'y ngwa'd i, Enoc bach? 'Na ti beth od, ac arllwys gwa'd mor wrthun i fi . . .

– Ond Luther bach, ma' hi'n ryfel! A ma'n rhaid i fi dy rybuddio di . . .

– Ti hefyd? Beth sy'n digwydd, gwed? Achos sa *i*'n dymuno drwg i neb.

– Nagwyt! Dim hyd yn o'd i elynion dy wlad! Anifeilied rheibus fydde'n lladd plant bach Brynarfor heb feddwl ddwywaith!

Ac mae Enoc yn troi ac yn martsio i ffwrdd, allan drwy glwyd School House, heibio i'r plant sy'n chwarae *hopscotch* a chylch-a-bachyn ar sgwâr y pentref.

*

Mae hi'n hwyr y nos, ac mae John yn gwylio Lizzie'n pwytho blows wen yng ngolau gwan y lamp. Mae ei gwallt yn donnau melyn hardd o hyd, ond yn llai tanbaid nag ydoedd flynyddoedd maith yn ôl . . .
Diwrnod braf o haf ar draeth y Gilfach. Lleisiau a chwerthin yn atseinio rhwng y creigiau. Plant Pantrod, Tynrhelyg, Oernant, Ffynnon Oer a Hafod Lwyd yn griw swnllyd yn yr haul. Rhys a Sara Jones, Lizzie a Huw Rees, Beti Ifans, Dai a Morwenna James, a John a Jane a Martha Jenkins. Picnic ar garthen ar y graean mân; chwarae pêl a thasgu dŵr; padlo yn y pyllau bas; mentro at eu pennau gliniau i'r môr. A John a Lizzie'n gwenu ar ei gilydd, yn mynd i eistedd gyda'i gilydd ar wahân i'r lleill, ar graig wastad wrth geg yr ogof. A phawb yn gweiddi arnyn nhw, yn chwerthin am eu pennau, yn chwibanu ac yn tynnu coes. A Lizzie'n syllu arno, ei llygaid yn wyrddlas fel y môr, ei gwallt yn felyn fel yr haul . . .
Pryd oedd hynny? Dros ugain mlynedd a phedwar o blant a newid byd a phrofedigaethau mawr a lot o sbort a llawer mwy o ofid yn ôl. Ac mae e'n dal i'w charu.
Y tu ôl iddi, ar y *chiffonier,* mae rhes o luniau wedi'u fframio. Llun o deulu Ffynnon Oer ar ddiwrnod bedydd Ifan Bach; ei fam a'i dad, Martha, Morgan a Marged Ann yn syllu'n ddifrifol iawn i'r camera, ac Ifan Bach yn crychu'i dalcen rhag yr haul. Mae tri o'r chwech, ei dad a'r ddau efaill, wedi marw. Llun o deulu Lizzie, teulu Hafod Lwyd; ei thad a'i mam a Huw, ei brawd. Mae pob un wedi marw. Llun o Gwen, yn ddwyflwydd oed, mewn clogyn coch, yn gwenu mor ddrygionus arno. Mae hi wedi marw. Alun ac Edwin, y ddau filwr yn eu lifrai . . .
Ac mae John yn cywilyddio, yn ffieiddio'r hyn a fflachiodd drwy ei feddwl nawr. Beth gododd ar ei ben? Dy'n nhw ddim

wedi marw! Mae'r ddau yn dal yn fyw! Wrth gwrs eu bod nhw! Chlywyd yr un gair i'r gwrthwyneb. A 'No news is good news' yw'r bregeth bropaganda ddyddiol. Fe fyddan nhw adre chwap, yn arwyr glew, wedi gwneud eu dyletswydd dros eu gwlad. Ac fe fydd mor falch o'u gweld . . .

A llun o Olwen fach, yr un a fu'n gwgu arno gynnau, yn gwenu arno nawr o ffrâm fach arian. Mae hithau'n fyw, yn iach, yn llond ei chroen, yn danbaid ei natur ac yn huawdl ei barn. Bu'n ceisio ei chysuro, ei pherswadio nad oedd dewis ond ei hanfon i Frynarfor, a'r sefyllfa yma yn Llundain mor hunllefus. Ond doedd dim cysuro na pherswadio arni. Fe gysgodd yn ei dagrau. Yn gynnar bore fory fe fydd Dan ac yntau'n mynd â hi a Charlotte yn y car bob cam i'r wlad. Mae gan Dan ei ddulliau cyfrin o gael gafael ar y petrol angenrheidiol. Noson yn Ffynnon Oer ac yn ôl i Lundain drennydd, gan alw yng Nghaerfyrddin i weld Jane . . .

Mae Lizzie'n rhoi bloedd fach sydyn. Fe bigodd y nodwydd ei bys. Un pigiad dwfn, a'r gwaed yn diferu ar y flows wen. Ac mae Lizzie'n dechrau llefain. Dim beichio, dim sŵn igian, dim byd ond dagrau'n llifo'n dawel i lawr ei bochau. Mae John yn gafael ynddi, ac mae hithau'n sibrwd:

– Gwen, Alun ac Edwin – a nawr Olwen. Wy'n mynd i'w colli nhw i gyd . . .

– Nagwyt! Dros dro, 'na'i gyd . . .

– A ma'r flows 'ma wedi'i sbwylo . . .

– Paid â siarad dwli. Fydd Jane wrth 'i bodd â hi . . .

– Pwy wyt ti'n dreial 'i dwyllo? Wy'n mynd i golli 'mhlant, a 'na ddiwedd arni! A fydd Jane ddim callach taw blows yw hon! Heb sôn am taw fi 'nath hi!

Does gan John ddim ateb. Mae Lizzie'n dweud y gwir . . .

*

Drannoeth, yn ei swyddfa, mae Martha'n gynddeiriog. Fe dorrodd y diawl ei addewid. Fe ddaeth i'w gweld hi eto, a hithau wedi gofyn iddo beidio. Ac yntau wedi addo. A does ganddo ddim esgus y tro hwn, dim mater cyfreithiol i'w drafod, dim cyngor i'w ofyn. Fe symudodd Sam y bwli bach – yn hytrach, fe'i symudwyd – i daflu'i bwysau mewn patshyn arall, i bigo ar rywun arall, i fygwth cyfraith ar rywun arall siŵr o fod. Ond fe gafodd David Davies lonydd, am y tro; llonydd i wneud ei waith corfforol, caled; i fwynhau bywyd yn yr awyr iach; i drafod a dadlau â chydweithwyr yn y goedwig; i fyfyrio a darllen ac ysgrifennu yn ei gornel bach o'r gwersyll gyda'r nos. Ac i feddwl a meddwl am Martha.

A nawr, dyma hi'n bytheirio arno, ei llygaid tywyll yn fflachio, a'i llais yn galed.

– 'Ma'r rhybudd ola! Os doi di'n agos ata i 'to, fe af i â ti i'r cwrt. Wyt ti'n deall?

– Isie dy gyfeillgarwch odw i, Martha! 'Na'r unig ffordd y galla i odde'r uffern 'ma!

– Pwy 'uffern'? A tithe'n saff lan sha'r fforestri 'na? Wyt ti'n 'i cha'l hi'n hawdd, gwboi, o' gymharu â bechgyn erill! O leia rwyt ti'n saff o ddod o 'na'n fyw! Y 'ffrynt lein' yw'r uffern, cofia!

Feddyliodd David erioed y byddai'n clywed Martha'n siarad fel hyn. Feddyliodd hithau erioed y byddai'n siarad fel hyn. Ond does dim troi'n ôl nawr.

– 'Sdim hawl 'da ti fod fel hyn, yn llawn hen hunandosturi dwl! Isie 'bach o gysur 'da fi wyt ti, ontefe? Wel, chei di ddim! Wedyn man a man i ti fynd o 'ma, o Aberaeron, 'nôl i'r blwmin Rhondda o ble dest ti!

– Paid â neud hyn, Martha . . .

– Fe wna i'n gwmws fel lica i! Wedyn cer!

– Ti'n fenyw galed . . . Na, isie i fi gredu bo' ti'n galed wyt ti. Ymladd wyt ti – ymladd yn galed yn erbyn dy deimlade.

– Ti'n credu hynny? Wel ma'n ddrwg 'da fi dy siomi di, ond 'sda fi ddim teimlade. Dim atat *ti*. Dim yw dim – heblaw am y twtsh bach lleia o dosturi.

A dyna'r diwedd. Mae David wedi cael ei ffusto. Does dim i'w wneud ond ildio a chilio o'i bywyd. Ond cyn mynd, mae ganddo un neu ddau o bethau i'w gofyn iddi.

– Shwt ma'r groten fach? Meri yw 'i henw hi, ontefe? Beth yw 'i hoedran hi – rhyw naw ne' ddeg? Ody hi'n un fach bert – fel 'i mam? Ne' ody hi'n debyg i'w thad?

Sylla i fyw ei llygaid cyn cerdded allan. Mae Martha'n suddo i'w chadair ac yn gadael i'r dagrau lifo.

*

Mae Meri yn ei phwd eto fyth. Blinodd ar orfod bod yn 'groten fowr'; syrffedodd ar orfod 'helpu' i wneud hyn a'r llall ac ar redeg negeseuon ac ufuddhau i orchmynion Esther. A'r cyfan er mwyn y 'fisitors'. Dwy groten nad yw braidd yn eu hadnabod, yn dod fan hyn i daflu'u pwysau ac i fynnu tendans. Fe gân nhw weld! A phawb arall hefyd. Pam y dylai eu croesawu? Ei phatshyn hi yw hwn.

Ond fe fyddan nhw'n cysgu yn ei gwely, a hithau'n gorfod gwneud y tro â matres ar y llawr; fe fyddan nhw'n cael gwneud fel y mynnan nhw, pryd y mynnan nhw, a hithau'n gorfod rhoi popeth, ildio popeth iddyn nhw, er mwyn 'eu gwneud yn gartrefol, druen bach'. Druan fach â *hi!* Ond does neb yn styried hynny. O na, 'Olwen fach' hyn, a 'Charlotte fach' fel arall yw hi ers diwrnodau. Ac mae'r cyfan wedi mynd yn ormod i'r un fach a gafodd yr holl sylw ers blynyddoedd.

Mae hi newydd gael cerydd am bigo bwyd oddi ar y platiau – llond bord o gigach oer, tomatos, bitrwt, caws a bara menyn a baratowyd ar gyfer 'pobol Llunden'. Ac mae llwyth o dato newydd yn barod i'w berwi yn y sosban fawr, heb sôn am y *prunes* a'r pwdin reis sydd ar y seld mewn llestri gwydr na welodd olau dydd ers blwyddyn – ers diwrnod angladd Marged Ann.

Fe'i hanfonwyd yn ddiseremoni i 'gau'r ffowls' – y dull arferol o'i chael hi'n ddiogel 'mas o'r ffordd'. Felly chlywodd hi mo'i mam-gu a'i hwncwl Enoc yn ei thrafod yn ddifrifol.

– Ofon na cheith hi gymint o sylw ma' hi.

– Ma' hynny'n wir on'd yw e?

– Fe neith e les iddi ddysgu rhannu. Ma' hi wedi mynd yn dipyn o fadam 'da ni'n ddiweddar. Ma' hi'n anodd cadw trefen arni. A gweud y gwir wrthot ti – rhyngot ti a fi ma' hyn – faint o drefen sy 'da Luther yn yr ysgol? So fe'n gredwr yn y wialen.

– Luther! Esther fach, paid â sôn wrtha i am Luther. 'Sdim sensyn i ga'l 'dag e.

– Ma' fe wedi mynd yn od reit yn ddiweddar.

– Ody glei! Ac wedi stwbwrno'n lân am y cyfarfod 'na fory. Rhynto fe a'r bois 'na lan sha'r fforest, ma' hi gered yn yr ardal 'ma!

Mae Enoc yn ysu am ddweud rhywbeth wrth ei chwaer. Fe ddylai gael gwybod am y cythraul bach – yn cerdded yn jocôs rownd Alban Square fel petai'n berchen ar y lle. Fe ddylai gael gwybod beth ddigwyddodd y bore 'ma. Does ganddo ddim dewis. 'Dyletswydd' a 'chyfrifoldeb' yw'r ddau air sy'n troi a throsi ym mhen Enoc wrth iddo ddechrau sibrwd:

– Wyt ti'n gwbod 'i fod *e* ymbytu'r lle?

– Pwy?

– Boi Tonypandy. Ma' fe'n un o'r conshis. Wy wedi'i weld e fwy nag unweth. Ond fe weles i fe'r bore 'ma . . .

– Ie?

– Yn dod o swyddfa Martha.

Petai Esther wedi cadw'i llais yn isel, fyddai Rhys ddim wedi ei chlywed drwy ffenest agored y gegin mas. Ond mae hi'n dechrau gweiddi yn ei thymer.

– Hwnnw! Ar ôl yr holl flynydde! A hithe wedi addo na fydde hi'n neud dim â fe byth 'to! Ma' hi'n dala i dwyllo Rhys! I'n twyllo ni i gyd! Reit, meiledi! Fe geith hi weld!

– Paid â gweud taw fi wedodd!

– Gad ti Martha i fi! Ond paid â sôn gair wrth Rhys!

Clywed llais tawel Rhys y tu ôl iddi sy'n ei thawelu hithau.

– Dim un gair wrth Martha, Mrs Jenkins. Rhwng gŵr a gwraig ma' hyn.

Sylla'n herfeiddiol arni ac ar Enoc, gan ffieiddio'u cydymdeimlad amlwg. Druan bach â Rhys. Mae ei wraig yn ei dwyllo unwaith eto. Ac fe fydd yn derbyn hynny eto fel y gwnaeth o'r blaen.

Yn sŵn corn car yn dod lawr y lôn, mae Rhys yn addo rhywbeth iddo'i hun. Fe gân nhw weld. Martha, Mrs Jenkins, pawb. Fe gân nhw weld . . .

Mae 'pobol Llunden' wedi cyrraedd. A chyfarfyddiad rhyfedd yw hwnnw rhwng merched bach y ddinas, yn eu ffrogiau pert, eu sanau gwyn a'u sgidiau gloyw, a Meri yn ei dillad brethyn bras a'i chlocsiau trwm. Mae Esther yn cofleidio'r 'ddwy fach Llunden'.

– Croeso i Ffynnon Oer – *Welcome to* Ffynnon Oer, Charlotte fach . . .

Mae'r ddwy'n llygadu croten fach y wlad; mae hithau'n eu llygadu hwythau fel y bydd cath yn llygadu llygod.

Mae Rhys yn gafael yn eu bagiau ac yn eu cario i mewn i'r tŷ. Unrhyw beth i osgoi meddwl am ei wraig a'i thwyll, unrhyw beth rhag ei dychmygu gyda'r dyn a ddylai fod yn angof ers blynyddoedd. Roedd ei hanffyddlondeb yr adeg honno'n artaith, a'r gwarth o fod yn destun siarad yn annioddefol. Y sibrydion, y cilwenu, y pwniad bach slei, y chwerthin yn ei gefn. Ond fe lwyddodd i ddod trwyddi, er gwaethaf – neu oherwydd – ei benderfyniad mawr. Peidio â chrybwyll gair am y peth wrth Martha. Dyna oedd yr unig ffordd. Dim cyhuddo, dim dannod, dim gofyn am eglurhad nac ymddiheuriad. Gadael i'r fenyw glefer gredu ei fod yn hollol dwp, fel arfer. Ond roedd e'n gwybod, yn gwybod popeth.

A nawr, ddeng mlynedd yn ddiweddarach, mae'r wyneb gan y dyn i ddychwelyd i'w boenydio unwaith eto, a hynny fel heddychwr ddiawl! Mae'r wyneb gan Martha i gyfathrachu gydag ef eto, gan ymhyfrydu yn y ffaith ei bod yn twyllo pawb, yn union fel o'r blaen! Wel fe geith hi weld!

Ond does dim hast. Gall dau chwarae'r un gêm . . .

Fe sylweddola Rhys fod ganddo reswm arall dros gilio i'r bedrwm fowr a mynd i orwedd ar ei wely – ar ei wely ef a Martha. Mae angen llonydd arno – llonydd i feddwl am y *landgirl* lysti. Hi sydd newydd ddychwelyd i'r hostel yn y lorri. Hi sydd ar ei feddwl bob munud o bob dydd. Hi sy'n ei wneud yn benwan.

Ac fel petai'n edrych ar ffilm ramantus, mae Rhys yn ail-fyw yr hyn ddigwyddodd gynnau. Mavis ac yntau'n cario pyst a weiren bigog ar draws Cae Pella; Mavis yn parablu am hyn a'r llall – gan gynnwys yr annwyd trwm a loriodd nifer fawr o'r *landgirls*, Brenda yn eu plith.

– Ma'n nhw'n cwmpo fel pys yn yr hostel, Mister Jones! Gwres a whysu mowr, a pheswch! Pidwch siarad! Ma'u sŵn nhw ganol nos yn wa'th na'r defed 'ma!

Ond yn sydyn fe lithrodd a throi ei phigwrn. Ac fe gafodd Rhys un o brofiadau rhyfeddaf ei fywyd – ei helpu i godi ar ei heistedd, codi godrau ei dyngarîs, tynnu ei hesgid drom a'i hosan wlân, a rhwbio'i throed. A thrwy'r amser roedd hi'n eistedd yn ddiymadferth ar y llwybr, ei hwyneb yn welw gan boen, yn syllu arno â'i llygaid mawr. Ddwedodd hi'r un gair.

Doedd dim sôn am chwarae'i gêm arferol – efallai am nad oedd
Brenda yno i'w phorthi nac i gael ei phorthi nac i rannu'r sbort o
'bryfoco Mister Jones'. Neu efallai fod yna reswm arall . . .
    Beth bynnag oedd y rheswm, roedd yn brofiad rhyfedd iawn.
Fe a hi, y bòs a'r forwyn fach, ar eu pennau'u hunain yng Nghae
Pella, a rhyw ddealltwriaeth reddfol rhyngddynt.
    Wrth orwedd ar ei gefn ar y gwely mawr gall Rhys deimlo'i
throed yn gynnes, feddal yn ei ddwylo; gall deimlo'r bigwrn yn
dechrau chwyddo'n goch o dan ei fysedd.
    Daw sŵn car Martha'n cyrraedd y clos i darfu ar ei feddyliau
hyfryd.

*

Yng nghegin Ffynnon Oer yn hwyr y noson honno does dim taw
ar y clebran a'r clecs. Esther sy'n holi perfedd ei mab a'i nai am
'bobol Llunden'.
    – A gwedwch wrtha i nawrte, beth yw hanes Grace? Odych
chi'n 'i gweld hi o gwbwl?
    – Na, dim lot. Ma' hi'n fishi iawn y dyddie hyn!
    – Yn neud beth?
    – Yn cownto'r Wncwl Robert *millions*! A breuddwydo shwt
ma'u hala nhw!
    – Cer o 'ma, Daniel!
    – Wy'n gweud y gwir! Ma' fe'n jobyn amser llawn. Wel,
rhwng caru'n dynn â'r hen Wyn Pritchard.
    – Bachgen, bachgen!
    – Aros nes bo'r *mourning* drosodd ma'n nhw cyn priodi.
Fydde hi ddim yn weddus iddyn nhw ddanso ar fedd yr hen
Robert – fel ma'r gweddill ohonon ni'n neud!
    – Fydd y Pritchard 'ma'n 'i neud hi'n iawn ar gefen Robert,
'te.
    – Bydd glei!
    – Ond 'sdim dal taw hi geith y cwbwl.
    – Pwy arall ceith nhw? I'r pant y rhed y dŵr, ontefe?
    – Ma' un peth yn siŵr i chi – dim i fan hyn, i Ffynnon Oer,
ma'r dŵr yn rhedeg! Welwn ni'r un geinog!
    Mae Esther yn sychu'i dwylo gydag arddeliad ar ei brat.
    – Ond 'na fe, dwtshen i'r un geinog o'i hen arian e!

73

Mae gan John ei gwestiynau yntau i'w gofyn i'w fam.

– A shwt ma' Jane y dyddie hyn?

– Yr un peth, John bach, yr un peth . . .

– A beth am Ifan Bach? Odych chi wedi clywed rhwbeth?

– Na, dim gair . . .

Ac mae ei bysedd yn dechrau plethu'i brat.

*

Amser brecwast drannoeth, mae bwrlwm siarad a phrysurdeb yn llenwi'r gegin, a'r uwd, y bacwn a'r wyau a'r bara menyn yn llenwi'r ford.

– Cymer mwy o fara, John. *You like porridge*, Charlotte?

– *No, she doesn't.* Sori, Anti Esther, ma' hi'n od iawn ymbytu bwyd.

– Wel gwed wrthi am bitsho miwn i bopeth arall.

– *Mam-gu says help yourself.*

– Wy'n dwlu ar uwd, Mam-gu!

– Da iawn ti, Olwen fach! Dere, Meri! Ma' hi'n bryd i ti 'i siapo hi!

– Y Memorial Hall fydd hi heddi, 'te! Ti'n edrych 'mla'n?

– Odw. Ond dyw Mr Lewis ddim isie i ni fynd.

– Pam hynny?

– Ma' fe yn erbyn rhyfel.

– Fydde'n well i Mr Lewis ga'l gair 'da ni bobol Llunden ymbytu hynny!

– Ma' bai ofnadw arno fe . . .

Yn sydyn mae pawb yn sylwi bod dagrau yn llygaid Charlotte. Fe aeth y cyfan yn drech na hi – yr holl edrych ymlaen ers wythnosau, y ffaith fod y ffarwelio â'i mam a Timothy wedi bod yn llawer gwaeth na'r hyn yr oedd wedi ei ddisgwyl, y daith hir o Lundain, y diffyg cwsg neithiwr gan fod Olwen yn ei chicio yn y gwely dwbwl, dierth, Meri'n siarad yn ei chwsg ar ei gwely rebel ar y llawr, a'r ceiliog yn clochdar ar doriad gwawr.

Na, nid cicio Olwen na siarad Meri na chlochdar y ceiliog a lwyddodd i'w chadw ar ddi-hun, ond profiad hollol ddieithr. Rhyw hen bwysau rhyfedd yn ei chrombil, rhyw ysfa i ochneidio, rhyw duedd i'r dagrau gronni yn ei llygaid. Ac mae'r

74

profiad wedi codi ofn ar Charlotte. Mae hi'n ymwybodol fod Olwen, yr un oedd yn torri'i chalon wrth adael Llundain, yn ddigon hapus erbyn hyn. Hi, Charlotte, oedd mor frwd dros ddod yma a thros brofi'r antur fawr gyffrous, sy'n simsanu ar ôl un noson ac yn arswydo rhag y funud y bydd yn rhaid iddi ffarwelio â'i thad. Beth gododd ar ei phen i feddwl y gallai gynefino â bod fan hyn ym mhen draw'r byd? Sut fydd hi'n gallu byw o ddydd i ddydd heb ei ffrindiau a mynd i ysgol newydd lle na fydd yn deall yr un gair?

Mae cywilydd arni deimlo fel hyn gan fod pawb, heblaw am Meri, yn groesawus iawn. Llond gwlad o groeso, ond fawr ddim Saesneg. Ond Meri yw'r bwgan pennaf. Mae hi mor rwgnachlyd, yn swrth wrth ei mam, yn troi ei mam-gu rownd ei bys bach ac yn ordro'i thad fel petai e'n was. Ac fe wnaeth bethau'n hollol amlwg o'r eiliad gyntaf. Does ganddi fawr ddim i'w ddweud wrth ei chnitherod, a dyna ddiwedd arni. A beth bynnag, fyddai 'na fawr o bwynt iddi wneud yr ymdrech, gan nad yw hi'n gallu siarad Saesneg. A nawr mae Charlotte yn rhoi ei dwylo am ei chlustiau i gau allan y clebran o'i chwmpas, clebran ei thad a John ac Esther a Martha a Meri, eu lleisiau'n torri ar draws ei gilydd, y synau celyd yn llenwi'i chlustiau, yn brifo'i phen, a hithau'n deall dim. Y cyfan y gall ei ddweud drwy'r dagrau yw:

– *I don't understand what you're saying.*

*

Draw yn y beudy mae'r carthu'n dod i ben. Bu'r ddau, Rhys a Mavis, yn gweithio'n ddyfal ac yn ddistaw, heb yngan gair. Mae'r ddau yn eu byd bach tyn eu hunain, yn ymwybodol iawn, ar ôl yr hyn ddigwyddodd yng Nghae Pella ddoe, eu bod yn agos at ryw ffin. Y ffin bendant a diamwys honno sy'n gwahanu meistr oddi wrth ei forwyn? Yr un amwys rhwng dau sy'n dod i nabod ei gilydd yn raddol fach?

Ffin arall sydd ar feddwl Rhys, yr un ddirgel, beryglus a chyffrous rhwng perthynas 'weddus' ac un 'anweddus'. Ac yn sydyn mae e'n taflu'i bicwarch yn erbyn y wal, yn gafael yn y whilber ac yn ei gwthio allan i'r clos. Yno fe gaiff gyfle i wthio'i gap o'i dalcen ac anadlu'n drwm.

'Anweddus'? Perthynas 'anweddus' gyda Mavis? Gyda *landgirl*? Arswyd y byd! Beth gododd ar ei ben? Dyn priod, parchus, canol oed! Gŵr a thad a mab-yng-nghyfraith cydwybodol! Blaenor yn y capel! Bachgen, bachgen! Gan bwyll, gw'boi . . .

Mae drws y tŷ'n agor a daw Martha allan yn ei dillad gwaith – siwt dywyll, blows wen, sanau sidan, sgidiau du. Mae ei gwallt wedi'i dynnu'n ôl yn dynn, ac mae lliw coch ar ei gwefusau. Mae hi'n gwenu ar Rhys cyn agor drws ei char a rhoi ei chês du ar y sedd.

– Ble ma'r *landgirls*?

– Ma' Mavis yn y beudy. Ma' Brenda'n dal yn dost.

– Tr'eni . . . Wel, gwbei nawrte – wela i di heno.

Ac mae hi wedi mynd. Tan heno. Fe fydd hi, y fenyw smart, ddeallus yn treulio'i diwrnod yn ei byd diddorol, yn gwneud ei gwaith diddorol, yn cwrdd â'i phobol ddiddorol. A ble fydd Rhys bach Ffynnon Oer? Yn y beudy, ar y clos, ac yn y caeau. Dyna fydd ei fyd bach cyfyng yntau heddiw fel pob diwrnod. Gair bach nawr ac yn y man ag Esther – a chyda Dan a John a'r merched falle. Ond neb arall. Heblaw am Mavis. Mavis y *landgirl* lysti. Mavis wyllt, bryfoclyd, ddigywilydd. Mavis a edrychodd arno'n llawn edmygedd ddoe. Edmygedd? Dyna oedd yn ei llygaid tywyll? Neu chwant?

Ni fydd Rhys byth yn gallu egluro pam y gwnaeth yr hyn a wna nawr. Rhuthro'n ôl i'r beudy; sefyll yn stond i edrych ar Mavis yn hercian yn boenus tuag ato, a rhwymyn am ei phigwrn; ac yna gafael ynddi a'i chusanu.

Ni fydd fyth yn anghofio'r olwg syfrdan ar ei hwyneb, na'i gwên wrth ei glywed yn mwmblian ei ymddiheuriad.

– Ma'n ddrwg 'da fi, Mavis. O'dd bai arna i . . .

– O'dd, Rhys, bai mowr . . .

Dyna'r tro cyntaf, ond nid yr olaf, iddi ei alw wrth ei enw bedydd. Gwên fach gyfrin arall, ac yna mae hi'n hercian heibio iddo, allan i'r clos.

*

Mae hi fel ffair ar iard yr ysgol, a'r plant yn rhedeg a raso'n wyllt ac yn gwichian a gweiddi gan anwybyddu gorchmynion tila Mr Byron Williams a Miss Sophia Samuel yn llwyr. Ond yn sydyn mae llais cyfarwydd yn taranu:

– Reit! I'ch rhesi! Nawr! Tomos Llain! Huw Defi! A tithe, Ianto Bryn! Siapwch hi ar unweth! A sefwch yn berffeth lonydd ac yn dawel nes i fi weud bod hawl 'da chi i symud!

Megis milwyr bach disgybledig, mae'r plant yn ufuddhau i'r gorchymyn ac yn ffurfio dwy res syth, un i'r bechgyn, un i'r merched, o flaen y drws. Mae Luther yn gwenu'n rhadlon ar Byron Williams cyn troi i annerch y rhesi.

– Reit, ma' pawb i gerdded yn ddou-a-dou a law-yn-llaw yn deidi ar hyd y ffordd. Neb i redeg, neb i weiddi'n uchel. Pawb i fihafio fel 'se'i fywyd e yn y fantol! Ti'n deall, Ianto Bryn?

– Odw, syr.

– A dim hen ddwli dwl – ti'n gwrando, Tomos Llain?

– Odw, syr.

Sawl 'Odw, syr' bach llywaeth arall, ac mae'r fintai hapus ar ei ffordd i Aberaeron, Miss Samuel a'i hymbarél fach ddu ar y blaen, Byron Williams yn y gwt, a Luther yn gydymaith annisgwyl iddo.

– Pam yr ailfeddwl, Luther?

Yr unig ateb a gaiff y pwysigyn bach yw gwên lydan, enigmatig.

*

– Fy mraint arbennig i yw diolch yn fawr i Mr Baxter, o'r National Savings, am ddod yma heddi, bob cam o Abertawe . . .

Cymeradwyaeth gynnes gan ugeiniau o blant ac athrawon a rhieni sy'n llenwi'r Memorial Hall.

– Cynllun y National Savings sy tu cefen i'r digwyddiad pwysig yma. Stamps y National Savings fyddwch chi'r plant yn 'u rhoi ar hwn . . .

Mae llaw fach chwyslyd y Ficer yn anwesu 'hwn' yn annwyl. Clamp o 'fom' – plisgyn gwag ond bygythiol iawn yr olwg, sydd wedi'i bolisho'n arbennig a'i osod ar bedestal pren ar ganol y llwyfan.

– Nawrte, mae hi'n bleser 'da fi alw Mr Byron Williams lan i'r llwyfan, ar ran y Pwyllgor Addysg.

77

Mae'r hen Byron yn cyrraedd â chryn rwysg, megis paun a'i gynffon fawr ar led.

– Diolch i chi, Ficer. *Thank you, Vicar. Thank you, Mr Baxter, on behalf of Cardiganshire Education Authority. I have great pleasure in being here this morning on this very important and symbolic occasion . . .*

Does neb yn sylwi bod cysgod o wên ar wyneb Mr Baxter. Sawl gwaith y bu mewn cyfarfod tebyg i hwn, yn gorfod gwrando ar y pwysigyn lleol yn mwynhau clywed ei lais ei hun? A'r hyn sy'n rhyfedd yw bod pob pwysigyn lleol yn hynod o debyg i'w gilydd. Yr un osgo, yr un rigmarôl, yr un Saesneg trwsgl, yr un duedd i barablu ymlaen ac ymlaen nes peri i'r plant ddechrau colli diddordeb ac anesmwytho yn eu seddau. O'r diwedd fe glyw Baxter y geiriau hudol. Mae pethau'n dechrau symud. Gall fod ar ei ffordd i gwrdd â'i *'fancy lady'* ymhen rhyw awr.

– *Now then, children, when I call the names of your schools, come up to the stage . . .* Pan fydda i'n galw enwe'ch hysgolion chi, dewch lan i'r llwyfan a derbyn stamp 'da Mr Baxter. Wedyn ewch draw at y bom welwch chi fan'na, a sticwch y stamp arno fe. Pan fydd e'n blastar o stampie, fe fyddwn ni'n 'i hala fe draw i Germany, er mwyn gweud wrth y Jyrmans nag o's 'u hofon nhw ar blant bach Cymru. 'Sdim o'u hofon nhw arnoch chi – o's e blant? Nago's glei!

Bonllef o 'Nago's glei' yn atseinio drwy'r neuadd.

– A ma'n rhaid i ni weud hynny wrthyn nhw – on'd o's e?

– O's glei!

– A shwt y'n ni'n mynd i weud wrthyn nhw?

– Hala bom atyn nhw!

– Ie, hala bom atyn nhw!

Bonllef arall o gymeradwyaeth, ac yna gorchymyn i dair ysgol – Pennant, Cross Inn ac Aberarth – esgyn i'r llwyfan yn eu tro gyda'u prifathrawon. Stamp yr un i bawb, llyfiad sydyn, eu plastro'n ddefodol ar y 'bom' i gymeradwyaeth gynnes, a chroesawu'r ysgol nesaf.

– Yr ysgol nesa i ddod i'r llwyfan yw Brynarfor . . .

Mae'r plant yn codi ar eu traed yn eiddgar.

– Steddwch lawr!

Ac maen nhw i gyd yn ufuddhau. Does neb byth yn anufuddhau i Mr Lewis, yn enwedig pan fydd ei lygaid yn fflachio'n wyllt fel hyn. Mae'r neuadd fel y bedd, a phawb, pob plentyn ac oedolyn, yn syllu'n gegrwth arno'n cerdded yn urddasol at y llwyfan ac yn sefyll o flaen y bom. Mae ei lygaid yn sgubo fel pladur drwy'r gynulleidfa, ond mae ei lais yn dawel.

– Nawrte, blant Brynarfor. Ma'n nhw'n eitha reit, y bobol fowr wybodus 'ma tu cefen i fi. Bom yw hwn. Y'ch chi'n gwbod beth yw bom, on'd y'ch chi, blant?

– Odyn syr . . .

Mae'r oedolion yn anesmwyth, yn sibrwd ymysg ei gilydd. Pwy sy'n mynd i roi taw ar Luther? Edrych ar ei watsh a wna Baxter. Faint o raff a gaiff y twpsyn yma, tybed? Mae un tebyg iddo'n codi ym mhob cyfarfod, er mae'n rhaid cyfaddef bod rhywbeth diddorol iawn ynglŷn â hwn. Mae ganddo ddylanwad ar y plant, mae hynny'n amlwg, a does neb yn siŵr iawn sut mae ei daclo. Ond tacler rhywun e cyn hir, er mwyn y nefoedd.

– Rhwbeth creulon iawn yw bom, sy'n neud dolur mowr i bobol, sy'n lladd pobol ddiniwed fel chi, a'ch mame a'ch tade a'ch tad-cus a'ch mam-gus a'ch brodyr a'ch whiorydd.

A'r cwbwl am fod ambell un yn dwp! Yn rhy dwp i dreial bod yn ffrinds! I dreial deall 'i gilydd yn lle rhyw gwmpo mas o hyd . . .

Mae John yn ysgwyd ei ben ar Dan. Dyma'r math o bregeth gyson y bydd Olwen a Charlotte yn ei chlywed dros y misoedd nesaf. Gwenu a wna Daniel Jenkins a rhoi ei fraich am ysgwydd Charlotte sy'n eistedd yn benisel wrth ei ochr. Chwarae teg i'r hen Luther am beidio â newid dim ers ei gyfnod gwyllt yn Llundain. Mae ugain mlynedd a mwy wedi llifo o dan y bont, a does dim lleddfu wedi bod, dim cyfaddawdu a dim ildio. Mae Daniel, er gwaetha'r ffaith ei fod yn anghydweld â'i bregeth, yn edmygu Luther.

– Huw Defi – 'sen i'n rhoi cylleth yn dy law di, allet ti ladd Nel Penbanc sy'n ishte nesa atat ti?

– Na'llwn, syr.

Ei edmygu a wna Martha hefyd, ond oherwydd bod ei phen mor llawn o'i chyfarfyddiad â'i chyn-gariad ac o'i gwestiynau ynglŷn â Meri, rhyw hanner gwrando a wna ar araith Luther.

Beth oedd ystyr 'Ydy hi'n debyg i'w thad?' Ydy e'n amau rhywbeth? Clywed enw ei merch sy'n dod â hi'n ôl i'r neuadd ac i ganol yr anesmwythyd sy'n llifo'n donnau mân drwy'r gynulleidfa.

– Meri Ffynnon Oer – allet *ti* ladd rhywun?

– Na'llwn, syr . . .

Ond mae Byron Williams wedi cael hen ddigon. Fe gwyd ar ei draed a gweiddi'n chwyrn:

– A ga i ymddiheuro, gyfeillion, am ymddygiad Mr Luther Lewis? Dyw'r hyn ma' fe newydd 'i weud ddim yn adlewyrchu'n barn ni, bobol gall y gynulleidfa 'ma.

Yn sŵn 'Clywch, clywch!' a churo dwylo brwd y gynulleidfa, mae Enoc hefyd ar ei draed.

– Ga i ategu yr hyn wedodd Mr Williams. Do's dim croeso i Luther Lewis a'i syniade fan hyn heddi. Ga'i awgrymu hefyd y cele fe a'i syniade groeso lan sha'r fforest 'da'r cachgwn sy'n pallu mynd i ymladd dros 'u gwlad!

Bonllef o gymeradwyaeth a gweiddi 'Gwarth!' a 'Fforshêm, Luther!' a 'Cerwch o 'ma, nawr!' A Luther yn syllu'n drist arnyn nhw cyn dechrau cerdded yn araf ac yn urddasol o'r llwyfan a gwneud ei ffordd drwy'r gynulleidfa, ei lygaid yn syllu'n syth o'i flaen. Yn raddol, wrth iddo nesáu at y drws, mae'r bonllefau'n distewi a'r curo dwylo'n pallu. Un edrychiad trist ar Enoc wrth fynd heibio; gwenu'n drist ar Martha sy'n gafael yn ei law gan sibrwd 'Diolch, Luther'. Ac mae Luther wedi mynd.

Does neb yn siŵr a glywodd e'r gorchymyn nesaf gan Byron Williams:

– Reit, os cawn ni adfer 'bach o drefen – lan â chi i'r llwyfan, blant Brynarfor, heb 'ych prifathro . . .

Mae Martha'n ysgwyd ei phen ar Enoc, sy'n gostwng ei lygaid yn syth. Mae plant Brynarfor yn glynu eu stampiau'n awchus ar y bom. Ac mae Mr Baxter yn ochneidio, yn edrych ar ei watsh ac yn meddwl am ei *'fancy lady'*.

*

Os oedd diwrnod 'stampo'r bom' yn ddiwrnod i'r brenin i blant Brynarfor, drannoeth yw'r diwrnod mawr i grotesi Llundain. Fe ddihunodd y ddwy yr un pryd â'r ceiliog, ac ymolch, gwisgo'u ffrogiau pert, cribo'u gwalltiau ac eistedd wrth y ford frecwast cyn i Meri gyffro. Doedd dim taw ar gleber Olwen. Fe gliriodd pob briwsionyn oddi ar ei phlât yn awchus a gwneud yn siŵr, am y degfed tro, bod popeth yn barod yn ei bag bach newydd – pensil, pren mesur, afal a macyn poced. Syllu'n ddigalon ar ei phlât yr oedd Charlotte, yn ofni'r oriau nesaf yn fwy nag y gallai ei fynegi mewn geiriau. Bu'r profiad yn y Memorial Hall ddoe, yn enwedig y cyfarfyddiad â phlant Brynarfor y tu allan, yn fedydd tân iddi, a'r gwawdio didrugaredd ar eu dillad 'crand', eu sanau gwynion, y rubanau yn eu gwalltiau a'u hacenion Cocni'n artaith annioddefol, nes i Meri, yn annisgwyl ac yn ffyrnig iawn, gamu i'r adwy a'u hamddiffyn. Ond fe fydd heddiw'n waeth. Oriau maith yng nghwmni gang o blant a fydd yn eu gwawdio a'u dynwared. Na, yn ei gwawdio a'i dynwared *hi*. Fe fydd Olwen yn ddigon saff. Fe fydd hi'n gallu rhoi tri thro am un iddyn nhw yn Gymraeg. Fe fydd hi'n un ohonyn nhw cyn hir, yn un o'r 'gang', a hithau, Charlotte, ar ei phen ei hunan mewn byd annealladwy.

– *But we'll soon get you to speak Welsh!*

Miss Samuel ddywedodd hynny wrthi ddoe, gan dybio ei bod hi'n cynnig cysur i'r groten fach anhapus yr oedd y plant yn ei phryfocio. Ond fe arswydodd Charlotte pan glywodd addewid – neu fygythiad? – yr athrawes.

A nawr dyma hi'n sefyll ar iard yr ysgol gyda'i thad a John ac Olwen, a Mr Lewis yn gwenu'n garedig arni a Miss Samuel yn hofran y tu ôl iddo. Ond o'u cwmpas mae cylch o blant yn eu llygadu'n awchus fel haid o fleiddiaid wedi amgylchynu'u prae. Mae Mr Lewis yn ei chroesawu'n gynnes iawn yn Saesneg ond yna'n parablu yn Gymraeg gydag Olwen a John a Dan. Holi'r ddau ynglŷn â'r sefyllfa enbyd sydd yn Llundain, holi hynt a helynt Isaac ac Annie Jenkins a'r hen Cohen, sut mae Lizzie 'a'r ddou grwt, druen bach â nhw', ac Ifan Bach, wrth gwrs, sydd hefyd wedi gorfod 'mynd i wynebu uffern dân'. A beth yw hanes yr hen Grace, nawr fod Robert Roberts yn ei fedd? Llifeiriant o synau rhyfedd yn gymysg ag ambell ymadrodd bach cyfarwydd fel 'Bachgen, bachgen!' a 'Jiw, jiw!' ac 'Ody glei!' yw hyn i gyd i Charlotte. Mae hi'n mynd yn anoddach iddi fesul eiliad i reoli'r dagrau. Mae hi'n reddfol yn rhoi ei llaw yn llaw ei thad. A dyna'r eiliad y daw'r clebran i ben. Mae Luther yn edrych yn dosturiol arni ac yn rhoi winc fach sydyn ar Dan.

– *Daniel, I want to ask a favour. My bicycle, over by the house, is not behaving. Something wrong with the brakes . . .*

Gwên fach ddiolchgar gan Dan ac mae'r tad a'r ferch yn cerdded law yn llaw heibio i'r plant chwilfrydig, draw drwy'r glwyd at ardd School House. Ac yno, yn sawr y rhosod, y caiff Charlotte ei chyfle i dorri ei chalon, heb i neb ei gweld, heb i neb ei gwawdio. Mae Dan yn ei chofleidio, gan ymdrechu'n galed i reoli ei ddagrau ei hun.

– *Please, Daddy, don't leave me here. Let me come home with you . . . I want to see Mummy and Timothy . . .*

Er ei fod yn ei chael hi'n anodd i ddweud dim, mae Dan yn ceisio'i hargyhoeddi y byddai dychwelyd i Lundain yn rhy beryglus ac yn rhyfyg llwyr. Ac yna fe gofia am y tric, yr un yr arferai ei chwarae pan oedd yn grwtyn bach. Pan fyddai'n unig neu'n anhapus byddai'n cau ei lygaid yn dynn ac yn dychmygu gweld rhywbeth neis, rhywbeth – neu rywun – a fyddai'n cynnig cysur iddo ar awr dywyll.

– *You try it, Charlotte . . .*

Ac mae hi'n cau ei llygaid yn dynn gan ddymuno â'i holl nerth weld yr unig bobol, heblaw ei thad, sy'n bwysig iddi, sef ei mam a Timothy. A wir i chi, yno y maen nhw, o flaen ei llygaid caeëdig, yn gwenu arni ac yn codi llaw. Mae hithau'n gwenu drwy ei dagrau ar ei thad.

– *Timothy's smiling! And Mummy's lifting his little hand to help him wave to me!*

– *See? It always works. Any time you want to be with them, you shut your eyes and they'll be with you . . .*

Chwarter awr yn ddiweddarach mae iard yr ysgol yn wag heblaw am dair merch fach sy'n gwylio car Dan yn diflannu o'r golwg rownd y tro. Mae Meri yn y canol rhwng y ddwy fach Llundain, yn dal eu dwylo'n sownd. Mae'r ddwy fach Llundain yn llefain y glaw, a dyw dagrau Meri ddim yn bell. Mae Charlotte yn cau ei llygaid yn dynn, dynn.

Heb yn wybod iddyn nhw mae Luther yn eu gwylio o ddrws yr ysgol. Does dim y gall ei wneud heblaw sychu'i lygaid â'i hances wen a ffieiddio'r ffwlbri mawr dieflig am greu'r fath anhapusrwydd enbyd i blant diniwed.

*

– Jawch, Anti Esther fach, ma' hi fel Nadolig 'ma!

Mae'r bocsys y mae Dan a John yn eu llwytho i'r car yn drwm gan gig mochyn a chaws a menyn ac wyau – a dwy gwningen gyfan heb eu blingo.

– Cofiwch 'u cwato nhw'n dda. Ma' plismyn clefer 'da ni yn y wlad!

– Fydde gofyn iddyn nhw godi'n fore iawn i ddala Daniel Jenkins!

Mae'r bocsys yn cael eu cuddio o dan haenau o ddillad a phapurau newydd. Ac yna fe ddaeth yn amser i ffarwelio. Mae Esther yn siarsio'i mab a'i nai i'w chofio hi at bawb ac i gadw mewn cysylltiad ac i gofio i bwy maen nhw'n perthyn, fel y gwnaeth sawl gwaith o'r blaen. Ac fel sawl gwaith o'r blaen mae hi'n ychwanegu rhywbeth arall.

– Wy'n becso shwt gymint amdanoch chi i gyd.

Mae John yn ei chofleidio.

– Fyddwn ni'n iawn.

Mae hithau'n gwenu ar y ddau.

– Fe fydd y crotesi bach yn iawn 'fyd. Fe edrychwn ni ar 'u hôl nhw. Cerwch nawr – a chofiwch fi at Jane – ond fydd hi'n deall dim, wrth gwrs . . .

*

Siglo'n ôl a blaen y mae Jane. Yn ôl a blaen, yn ôl a blaen, siôl lwyd am ei hysgwyddau, ei llygaid yn syllu ar y wal wen. Mae ei breichiau wedi'u plethu am ei chorff, ond maen nhw'n rhydd, yn rhydd o'r strapiau a fu amdanyn nhw cyhyd. Mae hynny'n arwydd da, meddylia John. Yn arwydd da o beth? Bod ei chwaer yn well? Bod y ddoli glwt o fenyw a fu gynt yn Jane fach Jenkins fywiog, hardd, ar ei ffordd yn ôl? Ddaw hi byth bob cam yn ôl, mae'r meddygon wedi egluro hynny. Ond byddai hanner ffordd yn well na dim.

Does dim i'w glywed heblaw sŵn cadair Jane yn gwichio'n rhythmig gyda phob symudiad. Fe ddywedwyd y cyfan eisoes –

am y tywydd a'r teulu a'r straeon diweddaraf o Lundain a Brynarfor, a'r ffaith bod y merched yn aros yn Ffynnon Oer am rai wythnosau nes bod pethau'n tawelu. Fe ddangoswyd lluniau iddi – Olwen yn ei dillad Cymanfa, Alun ac Edwin yn eu hiwnifforms, Charlotte a Timothy ar ddiwrnod ei fedydd, Dan a Jennifer yng nghinio'r Cymrodorion. Ond mae'r gadair yn dal i wichian, a'r llygaid yn dal i syllu ar y wal.

Mae John yn edrych yn ddigalon ar ei gefnder, ac mae hwnnw'n amneidio at y parsel sydd ar y gwely. Ie, man a man trio hwnnw . . .

– Jane, ma' 'na bresant bach i ti fan hyn . . .

Mae John yn agor y llinyn, yn tynnu'r flows o'r papur ac yn ei gosod ar arffed Jane.

– Gobitho y byddi di'n 'i lico hi. Lizzie sy wedi'i gneud hi'n sbesial i ti . . .

Clywed enw Lizzie, ynteu deimlo'r pwysau ysgafn ar ei harffed sy'n peri i Jane lonyddu a gostwng ei llygaid o'r wal i'r flows? Pwy a ŵyr? Does dim modd treiddio i mewn i'r pen yna, i'r ymennydd sy dan glo. Ac mae'r cyfan drosodd ymhen tair eiliad. Ond wrth i'r siglo a'r gwichian ailddechrau, mae John yn gwenu ar Dan. Do, fe gafwyd ymateb, un bach, ond un bach hollbwysig.

*

Mae PC Cecil Davies yn fwy na bola mawr a wyneb rhadlon. Mae e'n blismon ciwt, ac un o'i amryw bleserau yw hybu darostyngiad bois bach dwl sy'n meddwl eu bod nhw'n glefer. Dyna pam y mae e'n siglo'n amyneddgar ar ei sodlau wrth ddisgwyl i'r bobol ddierth ddychwelyd i'w car. Pobol ddierth ydyn nhw, does dim dwywaith, gan mai *number plates* o bant sydd ar y car. Mae'r hen Cecil yn ddigon ciwt i wybod bod pobol ddierth bob amser yn mynd adre, ac yn mynd adre'n llwythog iawn fel arfer – yn llwythog iawn â stwff hynod o ddiddorol.

– Paddington, Llunden, ife?

Ma'n nhw'n fois bach digon deche, digon teidi, chwarae teg, yng Nghaerfyrddin am y dydd, medden nhw, yn ymweld â pherthynas cyn troi am adre. Fe geith e hwyl â'r rhain.

– Yffach o siwrne, bois bach, i ddod am y dydd!

– Ody glei!

– O'ch chi'n codi'n fore iawn!

– Am bedwar. Ond y'n ni wedi hen arfer – wâc la'th 'da'r teulu.

– Saith awr o siwrne yw hi?

– Whech a hanner – a dreifo bob yn ail.

– A whech a hanner 'nôl. Jawl o ddwyrnod hir! Ond gwedwch wrtha' i nawr, beth y'ch chi'n 'i gario?

– Dim – heblaw am ddwy gwningen brynon ni gynne yn y mart.

– Gwd – newn nhw gawl bach ffein. 'Sdim byd arall 'da chi, o's e? Cig mochyn, menyn, wye . . .

– Jiw, jiw, nago's!

– Gwd. Fe synnech chi, bois bach! Ma' ambell un yn treial bod yn glefer a chwato pethe dan y sêt – a phethe . . .

– Jiw, jiw!

– Ma'n nhw'n credu bod hen blismon bach fel fi yn hollol dwp. Ond ma'n nhw'n rong! Yn hollol rong! Achos chi'n gwbod beth yw 'mholisi i? Troi llygad dall, peido ffwdanu whilo dim, gadel iddyn nhw feddwl 'u bod nhw'n glefer, druen bach, a rhyntyn nhw a'u cawl cwningen!

Tynnu'i helmed i ddatgelu pen moel, pinc gydag ambell sbrigyn o wallt gwinau wedi'i gribo'n ofalus drosto, sychu'i dalcen, a rhoi winc fach sydyn.

– O o's, ma' isie codi'n fore i dwyllo Cecil Davies! A weda i hyn wrthoch chi bois, do'dd pedwar o'r gloch ddim hanner digon cynnar – os y'ch chi'n deall beth s'da fi!

Rhoi'r helmed yn ôl ar ei ben yn fuddugoliaethus a thynnu'r strap dros ei ên.

– Gwd nawrte! A siwrne dda i chi 'nôl i Lunden!

Mae ei draed deng munud i ddau'n cario'i gorpws corffog i lawr y ffordd ac mae John a Dan yn ochneidio mewn rhyddhad.

*

Y noson honno mae Jane fach Walters, Jenkins gynt, yn byseddu'r flows sydd ar ei gwely. Mae'r cotwm yn llyfn o dan ei bysedd a'r botymau bach perl yn sgleinio yng ngoleuni'r lamp fach egwan. Mae hi'n codi'r flows ac yn astudio'r patrwm cywrain sydd ar y goler a'r llewysau. Mae hi'n sylwi ar ôl gwaed ar un lawes, sbotyn bach lliw rhwd maint pishyn chwech. Ac mae hi'n crychu'i thalcen.

Ac yna, a'i bysedd yn crynu, mae hi'n agor botymau'r flows sydd amdani ac yn ei thynnu. Â thipyn o ffwdan mae hi'n gwisgo'r flows wen gan gau'r botymau'n gam i gyd. Wrth redeg ei dwylo ar hyd ei bodis, mae hi'n sibrwd:

– Lizzie . . .

Mae hi'n dal i grychu'i thalcen.

*

Drannoeth mae rhes o ymladdwyr chwyslyd, cleisiog yn sefyll o flaen Luther, ac yntau'n syllu'n drist arnyn nhw.

– Blantos bach, 'ma beth *yw* wast ar ddwyrnod ffein! Chi'n gwbod ble o'n i wedi meddwl mynd â chi'r prynhawn 'ma? Am wâc ar lan yr afon. Mynd â phapur a phensilion 'da ni er mwyn ishte ar y ddôl i dynnu llunie. Ond 'sdim blas neud hynny nawr.

Mae'r llygaid dolefus sydd yn syllu arno'n dweud y cyfan. Mae cosbi addfwyn Mister Lewis yn waeth i'w ddioddef nag unrhyw gansen – nid bod yr un o'r chwech erioed wedi cael blas ohoni. A dweud y gwir does neb yn cofio'i gweld erioed, er bod si ar led y gallai fod yn llechu yn nrôr top ei ddesg.

Tair yn erbyn tri oedd hi – merched Ffynnon Oer yn erbyn Ianto Bryn, Huw-Defi-Aeron-Cottage a Tomos Llain. Mae'r rheswm dros yr ymladd yn amlwg ddigon. Fe benderfynwyd dysgu gwers i'r ifaciwîs bach posh drwy alw enwau arnyn nhw, rhwygo'u rubanau o'u gwalltiau a chicio dwst dros eu sanau gwynion. Y merched, yn ôl y merched, ddysgodd wers i'r bechgyn; y bechgyn, yn ôl y bechgyn, ffustodd y merched – anghytundeb sy'n achosi mwy o weiddi a dadlau brwd yn y dosbarth.

– Reit! Os yw hi'n bwysig i chi pwy sy'n ennill neu'n colli, clatshwch chi bant! Fe eistedda i fan hyn i wrando arnoch chi. Dewch! Clatshwch bant, bois bach!

Tawelwch llethol a llonyddwch unwaith eto cyn i Luther eu hannerch yn dawel.

– Caton pawb, so chi'n gweld mor dwp y'ch chi? Teimlo'n grac fel hyn, casáu pobol, ymladd fel 'se chi'n elynion penna. A goffod aros miwn fan hyn drw'r prynhawn a'r haul yn sheino'n braf tu fas. 'Na beth *yw* twpdra, Tomos Llain.

– Ie, syr . . .

– Meri Ffynnon Oer?

– Ond o'n nhw'n gweiddi pethe cas ar Olwen a Charlotte!

– Whare teg i ti am 'u hamddiffyn nhw. Ond y tro nesa, cofia bod geirie'n gryfach o lawer na dyrne. Iawn?

– Iawn, syr . . .

– A ta beth, Meri fach, dangos 'u gwendid 'u hunen o'n nhw. Ontefe, Ianto Bryn?

– Ie, syr . . .

– Hen fwlis sy'n pigo ar bobol wannach na nhw, ontefe, Huw Defi?

Mae Huw Defi'n ei chael yn anodd i ateb gan ei fod wedi dechrau llefain y glaw. Mae dagrau'r lleill i gyd yn agos iawn. Mae Luther yn gadael iddyn nhw sefyll am rai munudau cyn rhoi ei orchymyn tawel:

– Reit, Olwen, ysgwyd llaw â'r bechgyn. Charlotte, *shake hands with the boys*. A tithe, Meri.

– Ond, syr! O'n nhw'n gweud bod merched Ffynnon Oer i gyd yn dwp!

– Fechgyn, gwedwch 'Sori' wrth y merched.

Hanner munud o ddistawrwydd pwdlyd a'r llygaid yn syllu at y traed. Charlotte yw'r gyntaf i estyn ei llaw ac mae Tomos Llain yn ei hysgwyd yn ddigon parod ac yn mwmblian 'Sori' o dan ei wynt. Mae hi'n olygfa fach gomic. Tair fach grac yn ysgwyd llaw â'u poenydwyr; tri bach crac yn ymddiheuro wrth *ferched*! Ac mae'n rhaid i Luther wenu.

– Nawrte, ewch i molchi a dewch 'nôl fan hyn i moyn 'ych papure a'ch pensilion. Ma' hi'n bryd i ni fynd am y ddôl!

Yn swn gorfoleddus yr edifeiriol rai yn rhuthro am y clôcrwm, mae Luther yn eistedd wrth ei ddesg ac yn rhoi ei ben yn ei ddwylo. O'i flaen mae'r llythyr a fydd yn peri iddo newid cwrs ei fywyd eto fyth.

*

– Whare teg i'r groten weda i. Dyw hi ddim wedi bod yn hawdd iddi dderbyn 'i chnitherod bach, ond o'dd hi'n barod iawn i'w hamddiffyn nhw rhag y bwlis 'na.

Esther sy'n siarad, wrth bwytho'r rhwygiadau sydd yn ffrogiau merched Llundain. Mae'r tair wedi mynd i'r gwely, wedi ymlâdd ar ôl y frwydr fawr, a phrynhawn yn haul y ddôl.

– Gobeitho na chlywan nhw yn Llunden am hyn, 'na'i gyd. Ma'n nhw wedi addo peido gweud . . .

– Pawb â'i ofid yw hi yn yr hen fyd 'ma, Mam fach . . .

Edrych yn oeraidd ar Rhys yn dod lawr o'r llofft yn ei iwnifform *Home Guard* a wna Martha wrth ddweud hyn. Aiff yntau heibio i'w wraig a'i fam-yng-nghyfraith heb ddweud gair, a thynnu ei ddryll oddi ar y bachyn ar y wal. A chan ddymuno 'Nos da' bach swta, cyffredinol, fe ddiflanna drwy'r drws. Mae bysedd Esther yn tynhau am y defnydd a'i phwytho'n cyflymu. Mae hi'n dyheu am siarad yn blaen â'i merch a gofyn ambell gwestiwn caled iddi am 'y boi o Donypandy'. Mae hi hefyd yn ysu am drafod ei pherthynas hi â Rhys. Ond fentrith hi ddim yn sgil ei orchymyn i beidio â sôn gair am yr hyn a ddywedodd Enoc. Beth bynnag, fe fyddai Martha'n ei chyhuddo o fusnesu ac ymyrryd, ac yn rhoi pryd o dafod iddi fel na all neb ond Martha ei wneud.

Ond jawch eriôd, mae hi'n anodd cadw'n dawel. Distawrwydd llethol bob yn ail â dadlau, a rhyw hen dyndra trwm, parhaus. Dyna yw perthynas Rhys a Martha'r dyddiau hyn. Ac mae pawb yn dioddef, gan gynnwys Meri fach, sydd wedi mynd yn anodd iawn ei thrin. A nawr mae dwy fach arall yn rhan o'r teulu, dwy y mae angen eu cynnwys ym mhob dim a'u cysuro'n gyson. Drato'r hen fusnes diflas yn yr ysgol heddiw. Gobeithio i'r nefoedd na chlywith teuluoedd Llundain. Llais Martha sy'n torri ar draws ei gofid.

– Fe gân' nhw wisgo dillad Meri.

– Beth?

– Olwen a Charlotte. O hyn ymla'n, fe gân nhw wisgo fel pawb arall. Dim ffroge bach pert a sane gwyn, ond dillad bob dydd.

– Ond Lizzie sy wedi'u gneud nhw . . .

– Dim Lizzie sy'n goffod 'u gwisgo nhw. A fe fydd hi'n deall.

– 'Sdim isie iddi wbod . . .

– Iawn.

Mae Esther yn torri'r edau â'i dannedd. Fe gaiff y ddwy ffrog fach bert yma eu hongian yn ofalus gyda'r lleill yn wardrob y stafell wely gefn. Fe gaiff Martha chwilota am hen ddillad Meri. Tair o grotesi bach y wlad, crotesi Ffynnon Oer, fydd yn mynd i'r ysgol bore fory. Fel arfer, roedd Martha yn llygad ei lle. Mae ganddi'r ddawn a'r crebwyll i weld problem a'i datrys yn llwyddiannus. Wel, problemau pobol eraill . . .

*

Pendwmpian yn ei gadair esmwyth, ddiraen o flaen llygedyn bach o dân y mae Luther pan glyw sŵn cnocio ar ddrws y ffrynt. Rhywun dierth sy 'na, felly . . .

– Shwt wyt ti, fab y goedwig!

Wrth groesawu David Davies mae Luther yn dyfalu, fel y gwna bob tro y gwêl y cyfaill, beth, tybed, sy'n gyfrifol am yr olwg lwglyd, lechwraidd barhaus sydd arno. Mae ei wallt yn fop o gudynnau clymog sy'n hongian dros ei lygaid cleisiog, mae pigau tywyll yn gorchuddio'i ên a'i fochau ac mae cwt ei grys bob amser yn hongian dros ei drowsys. Bron na fyddai rhywun yn tybio ei fod yn ymdrechu'n lew i fod yn fwriadol anniben.

– Isie ymddiheuro i chi odw i, Mr Lewis.

– Tithe hefyd! Ma' hi'n dechre mynd yn ffasiwn!

Ond dyw'r conshi ddim yn deall. Dyw e ddim yn gwybod bod Luther newydd ffarwelio ag ymwelydd arall lai na chwarter awr yn ôl, rhywun a gyrhaeddodd drwy ddrws y cefn, ei gap yn ei law a dagrau yn ei lygaid.

– O'dd beth 'nes i'n anfaddeuol, Luther bach. Beth ar wyneb y ddaear 'ma gododd arna i, gwed? Troi arnat ti fel'na. Gweud pethe uffernol o gas wrth y ffrind gore ga i byth. Jawl eriôd, ma'r hen ryfel 'ma'n neud y pethe rhyfedda i bobol! Y cwbwl alla i neud yw gofyn i ti fadde i fi.

Ysgwyd ei law'n gynnes oedd ateb Luther iddo. Ac yna rhoi llythyr iddo i'w ddarllen.

– Ma'n nhw isie'n hala i bant, Enoc bach.

– Bachgen, bachgen! Dere weld . . . Ti'n rong, y twpsyn dwl! Isie i ti ymddiheuro ma'n nhw.

89

– Ti'n ymddiheuro i fi, a finne'n ymddiheuro iddyn nhw. 'Na shwt ma' pethe'n gweitho, ife?

– Ma'n rhaid i ti whare'u gêm fach nhw, 'na i gyd.

– Ma' hi'n fwy na gêm.

– I ti – wrth gwrs 'i bod hi! Ond 'na beth yw hi iddyn nhw! Gêm fach ma'n rhaid iddyn nhw 'i hennill. A ma' ennill yn golygu ymddiheurad – ne' roi'r sac i ti. Nawrte, os gei di'r sac, os ei di o'r ysgol, fe fyddi di'n gadel popeth, yn *colli* popeth sy'n bwysig i ti. Ond yn wa'th na hynny, fe fyddwn *ni*'n dy golli *di* y jawl bach! A shwt allwn ni? Shwt all yr ardal, y gymdogeth, yr ysgol 'ma, golli'r boi gore welon ni eriôd? Ac ar ben y cwbwl, fel gwedes i, alla *i* byth â godde colli ffrind.

Fe wasgodd Enoc ei law yn dynn fel feis cyn ychwanegu rhywbeth arall.

– A fe weda i hyn hefyd. Beth ddiawl fydde 'da *hi* i weud am hyn i gyd? Fydde *hi*'n fodlon dy weld di'n codi pac a mynd? Wel? Ateb fi!

Ond doedd Luther ddim wedi gallu ei ateb. Roedd meddwl am Marged Ann fach annwyl ym mhridd y fynwent yn ormod iddo.

A nawr, mae'r cyfaill Davies eisiau ymddiheuro am rywbeth. Am beth?

– Am bo' fi ddim wedi sylweddoli boi mor fowr y'ch chi.

– Bachgen, bachgen! Gan bwyll nawr!

Mae Luther yn chwerthin ac yn gafael yn yr amlen sydd ar y silff-ben-tân.

– Na, gwrandwch. O'n i wastad wedi'ch parchu chi. 'Ddar dyddie Llunden – a Hyde Park, chi'n cofio? Pan o'n i mor danbed, yn areithio dros y peth hyn ac yn erbyn y peth arall. A chithe mor gytbwys . . .

Pwl bach arall o chwerthin wrth i Luther fyseddu'r amlen.

– Wedyn, ar ôl dod i Aberaeron, o'n i'n gwbod am 'ych safiad chi ynglŷn â'r rhyfel. Ond o'n i mor hunanbwysig, o'n i'n credu 'i bod hi'n hawdd i chi neud safiad. Wedi'r cyfan, o'ch chi'n rhy hen i ga'l 'ych hala bant i ymladd, yn rhy hen i wrthod mynd i ymladd. Pobol fel fi o'dd yn goffod neud y safiad anodd, a cha'l 'yn gwawdio a'n galw'n 'conshis'. O'dd hi'n ddigon hawdd i chi a'ch siort. 'Na beth o'n i'n feddwl – nes glywes i beth nethoch chi yn y Memorial Hall, a deall beth sy'n mynd i ddigwydd . . .

Mae Luther yn codi'i lygaid o'r amlen.

– Beth sy'n mynd i ddigwydd?

– Ma'n nhw'n mynd i roi'r sac i chi!

Mae Luther yn gwenu ac yn tynnu'r llythyr o'r amlen.

– Odyn nhw, nawr?

– 'Na beth yw'r siarad. Gobeitho taw cleber wast yw e, 'na'i gyd.

– Ma' lot o hwnnw ymbytu'r lle. Lot fowr hefyd . . .

Mae rhywbeth yn edrychiad Luther sy'n codi ias ar David Davies.

– Beth y'ch chi'n feddwl?

Mae Luther yn dechrau plygu'r llythyr yn araf, o gornel i gornel, un ochor dros y llall yn ofalus wrth siarad.

– Cymer air o gyngor 'da hen ŵr didoreth . . . Bydd yn ofalus . . . Ma' hen dafode miniog yn galler neud dolur . . . Dolur mowr hefyd . . . I bobol ddiniwed . . . Pobol fel Rhys Jones, Ffynnon Oer . . . I blant, fel croten fach Ffynnon Oer . . .

Mae'r plygu'n stopio'n sydyn ac mae Luther yn syllu i wyneb ei ymwelydd.

– Wyt ti'n caru Martha Ffynnon Oer?

– Odw! Yn fwy nag eriôd!

– 'Na pam ma'n rhaid i ti adel llonydd iddi, peido â gneud dolur iddi – nac i Rhys, na'r groten fach.

Mae'r ymwelydd ar ei draed yn sydyn.

– Y groten fach! So chi'n gwbod dim!

– Pam na wedi di wrtha i 'te?

– Iawn! Fe weda i! Fe dda'th perthynas Martha a fi i ben rhyw ddeng mlynedd 'nôl. Beth yw oedran Meri Ffynnon Oer? Dewch, Brifathro, y'ch chi'n gwbod! Ond ma'n well i fi'ch atgoffa chi! Ma' hi'n naw oed! Gweithwch chi bethe mas!

Ar ôl clywed drws y ffrynt yn clepian mae Luther yn syllu ar y llythyr sydd yn ei law. Ond nid llythyr ydyw mwyach ond awyren. Un tafliad sydyn ac fe hedfana'n syth i lygad y fflam sydd yn y grât. Ffrwydra'n goch a llosgi'n ffyrnig am rai eiliadau cyn diflannu'n llwch.

*

91

Oriau mân y bore, ac mae Rhys a Martha ar eu pennau'u hunain yn y gegin. Maen nhw'n ei chael hi'n anodd i sibrwd wrth ffraeo'n dân golau, ond does fawr o ddewis, rhag i'r bobol sydd ar y llofft glywed eu ffrae. Fe gafodd Rhys hen ddigon.Y cyfan a ddymuna, ar ôl bod ar ddyletswydd ers oriau, yw cwsg. A beth bynnag, beth yw'r pwynt ymdrechu i drafod rhywbeth a ddaeth i ben ers amser?

– Ond dyw e ddim wedi dod i ben! Ti sy'n mynnu gadel i rwbeth ddigwyddodd flynydde'n ôl wherwi popeth!

– Flynydde'n ôl! Ma' fe'n dala i ddigwydd, Martha!

– Nagyw! Ma'r hen amheuon 'ma'n 'yn lladd i, Rhys!

– Yn dy ladd *di*! A finne wedi goffod byw 'da nhw ers deng mlynedd!

– Ond pam wyt ti'n 'u codi nhw nawr?

– Am bo' fi'n gwbod! Am bo' ti wedi ca'l dy weld! Ma'r jawl yn dala i dy drwyno di, yr ast fach!

– Sawl gwaith ma'n rhaid i fi weud? Fe dda'th e i'r swyddfa, isie 'nghyngor i . . .

– 'Sda fi ddim diddordeb.

– Wedes i wrtho fe am gadw draw!

– 'Sda fi ddim diddordeb!

– Ond ma'n rhaid i ti 'nghredu i.

– Ma' hi'n rhy hwyr! 'Sdim ots 'da fi beth wedest ti wrtho fe. 'Sdim ots beth fuoch chi'n neud. 'Sdim ots beth *y'ch* chi'n neud. Fe gewch chi neud yn gwmws fel licwch chi o hyn 'mla'n!

Mae'r ddadl wedi dod i ben, ac mae Rhys yn cerdded yn flinedig at y staer.

– Rhys . . .

Ac un droed ar y gris isaf, mae Rhys yn aros yn ei unfan. Mae hynny'n arwydd calonogol. Does gan Martha ddim i'w golli. Mae hi'n mynd ato ac yn rhoi ei llaw yn betrus ar ei war.

– Rhys . . . Wy'n dy garu di . . .

Mae ei lygaid fel iâ wrth iddo droi i edrych arni, ac mae ei lais yn gryg.

– Wyt ti'n gweld beth wyt ti wedi'i neud i ni?

Ac yna mae e'n llusgo'n flinedig i fyny'r staer ac yn cau drws y bedrwm fowr.

*

92

– *Good morning?*
– Bore da.
– *Good night?*
– Nos da. *And 'Good afternoon' is – very difficult!*
Yn gynnar fore trannoeth mae Mavis yn cyfarfod y merched ar y lôn.
– Bore da, Mavis!
– Bore da, Charlotte!
– *They're teaching me Welsh.*
– Da iawn, ti!
– *See? Mavis says I'm very good! Now teach me something else.*
Mae Olwen yn rhoi winc ar Mavis.
– *Say* 'twll dy din di'!
– Twll dy din di! *What's it mean?*
Rhedeg i ffwrdd dan chwerthin a wna Meri ac Olwen, a Charlotte yn eu dilyn yn gweiddi *'What's it mean?'* Dim ond ar ôl iddyn nhw ddiflannu y mae Mavis yn sylweddoli beth oedd yn wahanol ynglŷn â dwy fach Llundain. Eu dillad. O'n nhw'n gwisgo dillad tebyg iawn i ddillad Meri.

Ar y clos mae Martha ar fin mynd i mewn i'w char.
– Bore da, Mrs Jones.
Hanner gwên fach surbwch a gaiff yn ateb. Mae Mavis yn cael ei themtio i ddweud 'Twll dy din di' wrthi ond yn martsio i mewn i'r beudy yn lle hynny. Mae Rhys newydd orffen godro'r fuwch olaf.
– Bore da, Mr Jones. Sori 'mod i'n hwyr. Dorrodd y lorri lawr yn Dderwen Gam. So Brenda 'ma heddi 'to . . .
– Gad dy gleber a dechre ar dy waith.
– Wel, Mr Jones bach, y'ch chi wedi codi'r ochor rong i'r gwely! Chi a'ch gwraig!
Allan ar y clos mae Martha'n amlwg yn cael trafferth i danio'i char. Ond ar y trydydd ymgais mae ei sŵn i'w glywed yn rhuo i fyny'r lôn. Mae Mavis yn gafael yn y whilber ond cyn iddi symud dim mae Rhys yn gafael ynddi ac yn ei chusanu'n ffyrnig.
– A wy ddim yn sori am neud hynna – reit!
Mae hi'n gwenu'n awgrymog arno cyn ei dynnu tuag ati a'i gusanu'n ysgafn.

93

– Na finne, am neud hynna . . .

Mae'r ddau'n cusanu'n ddwfn.

*

Mae Luther yn gwylio'i braidd bach swnllyd yn chwarae ar iard yr ysgol. Taflu pêl a sgipio, chwarae cwato, chwarae tip, mae'r cyfan yn fôr o weiddi a chwerthin. Mae un llais bach yn tynnu ei sylw ac yn peri iddo wenu. Charlotte Jenkins, y Gocni fach o Lundain, sy'n gweiddi am y gorau gyda'r lleill:

– Olwen, dere glou! Meri, watsha fe! Draw fan hyn, Nel!

Yn sydyn fe glyw'r waedd ryfedda ganddi:

– Twll dy din di, Tomos Llain!

Ac mae Luther wrth ei fodd.

*

Ddiwedd y prynhawn mae bwnshed o rosod coch yn cael ei osod ar fedd mawr Ffynnon Oer.

– I ti, Morgan . . . A tithe, Ifan Jenkins . . . A tithe, Marged Ann. Gwbei i chi i gyd.

Sychaid sydyn i'r dagrau, ac mae Luther ar ei draed, ei hen het gantel ddu am ei ben, ei ffon yn ei law a sach fach ganfas ar ei gefn. Cerdda'n araf drwy glwyd y fynwent ac oedi am eiliad i bendroni. I'r chwith neu i'r dde? I'r gogledd, am Aberaeron, Aberarth, Llanrhystud ac Aberystwyth? Neu i'r de, am Lwyncelyn, Llanarth a Synod Inn? Neu gallai dorri ar draws gwlad am Neuadd Lwyd, Cilie Aeron a bwrw draw am Lambed. Mae'r byd wrth ei draed.

Daw Ianto Bryn heibio ar ei feic.

– Helô, syr!

– Helô, Ianto bach . . . A gwbei . . .

*

MEDI, 1941

Mae'r tair croten fach yn eistedd yn yr heulwen gwan yng ngardd gefn Ffynnon Oer, gan barablu yn eu cymysgiaith o Gymraeg Ceredigion a Chocni Llundain. Trafod wythnos gyntaf y tymor newydd yn yr ysgol y maen nhw, gan roi sylw arbennig i Mr Morris, yr athro bach diflas a gyrhaeddodd yn lle Mr Lewis. Fydd e ddim yma'n hir, medden nhw, gan ei fod yn casáu plant, yn enwedig plant drygionus a digywilydd Ysgol Brynarfor.

Mae 'na ddisgwyl mawr i weld Annie ac Isaac a Lizzie, a fydd yn cyrraedd o Lundain heno. Hwn fydd y tro cyntaf i Olwen weld ei mam ers iddi adael Llundain; fe fu Dan a Jennifer a Timothy yn ymweld â Charlotte rhyw bythefnos yn ôl.

Rhwng eu cynnwrf a'u cleber a'u chwerthin, dy'n nhw ddim yn clywed y paratodau ar y clos: Rhys yn llusgo'r ffwrwm bren o'r tŷ pair i'r clos; clindarddach y twba sinc a'r bwcedi y mae Esther a Mavis yn eu gosod wrth y fainc; a Victor yn hymian y 'Mochyn Du' yn llawen wrth hogi'i gyllell fwtsiwr a thaflu cip gwerthfawrogol bob hyn a hyn ar ben-ôl Mavis yn ei dyngarîs brown.

Ond maen nhw'n clywed Sioni Moni'n dechrau gwichian. Maen nhw'n clywed y gwichian yn tyfu'n sgrechian arswydus. Ac mae Olwen a Charlotte yn edrych ar ei gilydd mewn braw.

– Meri, beth sy'n bod ar Sioni Moni?

– Protesto ma' fe.

– Pam?

– Protesto fyddet tithe 'se rhywun yn dy ladd di.

Maen nhw'n syllu'n anghrediniol ar Meri'n gweu ei chadwyn o lygaid y dydd fel petai ganddi 'run broblem yn y byd. Ond yna mae'r ddwy ar eu traed ac yn rhedeg nerth eu coesau heibio i dalcen y tŷ i'r clos – mewn pryd i weld Rhys a Mavis yn llusgo'r mochyn druan o'i dwlc gerfydd corden sydd am ei wddf.

– Mam-gu! Ma'n nhw'n mynd i ladd Sioni Moni!

– *Tell them not to, Aunt Esther!* Plîs gwedwch wrthyn nhw!

Mae Esther yn gweiddi'n chwyrn ar Meri. Fe ddaw honno fel rhyw gysgod heibio i dalcen y tŷ.

– Beth sy'n bod arnat ti, groten! Wedes i wrthot ti am fynd â nhw lawr at yr afon!

– Do'n nhw ddim isie mynd.

Erbyn hyn mae sgrechiadau'r 'ddwy fach Llunden' bron mor arswydus â rhai Sioni Moni, druan, a rhwng Rhys yn gweiddi arnyn nhw i fynd o'r ffordd, a Mavis yn gweiddi arno yntau i beidio â gweiddi, a Victor yn gweiddi ordors ar bawb ac yn ceisio codi'r mochyn anystywallt ar y ffwrwm, mae hi'n bedlam. Y cyfan a wna Meri yw codi'i hysgwyddau a thwt-twtian ei dirmyg.

– Beth ddiawch yw'r ffys? Dim ond mochyn yw e.

– Sioni Moni yw e!

– Fyddwch chi'n dwlu byta'i gig e gyda wy bach wedi'i ffrïo a bara sâm!

– Bydd ddistaw, groten! Dewch 'da fi, ferched bach. Meri – cer i helpu Mavis. Nawr!

Mae Esther yn arwain y ddwy fach ddagreuol i mewn i'r tŷ ac yn cau'r drws. Lwcus iddyn nhw na welson nhw weddill y sioe. Y mochyn yn gorwedd ar ei gefn ar y ffwrwm, ei goesau'n cicio'n druenus, ei ben yn ysgwyd yn ôl a blaen a'i lygaid bach yn rowlio'n wyn gan ofn. Mavis a Rhys yn dal ei ben yn llonydd er mwyn i'r gyllell sydd yn llaw Victor wanu i mewn i'w wddf. Lwcus na welson nhw'r hollt sy'n llifo'n afon goch i'r twba. Lwcus na chlywson nhw ei wich arswydus olaf.

Yn ddiogel yn y gegin gefn, y cyfan a glywan nhw yw llais Esther yn eu cysuro.

– 'Na chi, ma'r cwbwl drosodd nawr. Ma'n rhaid 'i neud e, ferched bach. Ma'n rhaid lladd ambell waith . . .

*

Mae Annie, Isaac a Lizzie ar eu ffordd o Lundain. Mae'r *compartment* yn orlawn – nhw ill tri, dau filwr corffog, mam a'i merch, pob math o fagiau – *kit-bags*, bagiau lledr, bagiau siopa mawr. A bag bach du â chlo arno y mae Isaac yn ei fagu ar ei lin.

Mae Lizzie'n darllen – am y degfed tro, mae'n siŵr – y llythyr byr a gyrhaeddodd oddi wrth Edwin y bore hwnnw. Chwech o linellau cwta'n hysbysu ei rieni nad oes ganddo hawl i ddatgelu ymhle'n union y mae, ond ei fod yn fyw ac yn iach, bod y tywydd yn braf, y cwmni'n ddifyr, a'r bwyd yn fwytadwy. A dweud y gwir mae popeth yn A1, ac fe ddymuna iddyn nhw wybod ei fod yn meddwl amdanyn nhw i gyd ac yn cofio'n gynnes at bawb. Chwe llinell y bydd yn eu trysori tra bydd hi. Mae e'n 'fyw ac yn iach', beth bynnag y mae hynny'n ei olygu. Na, roedd yn 'fyw ac yn iach' bythefnos yn ôl pan bostiwyd y llythyr. Sut mae e erbyn hyn? Dair wythnos yn ôl fe dderbyniodd neges debyg gan Alun. Falle bod y ddau'n gelain erbyn hyn . . .

Rhaid peidio â chwarae meddyliau. Mae'n rhaid i fenywod – mamau a gwragedd – fod yn gryf. Ond mae hi'n anodd, a'r wythnosau'n troi fisoedd, a'r misoedd yn flynyddoedd, a dim sôn bod y rhyfel ddiawl yn dod i ben. Dyw Lizzie ddim yn un i regi. Ond mae gan fam i ddau o feibion sy'n ymladd dros eu gwlad, meibion nad yw wedi eu gweld ers bron i flwyddyn, berffaith hawl i regi nes bod mwg yn dod o'i chlustiau.

Mae hi'n syllu ar y groten fach sy'n eistedd wrth y ffenest. Dri mis yn ôl y digwyddodd y ffarwelio poenus, angenrheidiol ag Olwen. Fe fydd hi mor falch o'i gweld hi a Charlotte, sy'n bracsan ei Chymraeg erbyn hyn, medden nhw. Mae ganddi anrhegion bach iddyn nhw, ac ambell ddilledyn newydd. Mae'r ddwy mor hoff o wisgo'n bert, a rhyfel ddiawl neu beidio, fe gân' nhw'r gorau posib.

*

– Charlotte, gwed 'Lladd y mochyn'!
– Na!
– Gwed 'Ma'r mochyn wedi trigo'!
– Na!
– Meri, 'na hen ddigon! Nawr dewch i helpu clirio'r ford.
– *Aunt Esther, did they have to kill him?*
– *Yes.* Ma'r gaea ar 'i ffordd, wel'di, a fel ma'r wiwer fach yn casglu cnou, ma'n rhaid i ninne ga'l stoc go dda o fwyd.

97

– Tr'eni . . .

– Ie, ond fe gewn ni fochyn arall whap.

– Ond fe fydd hwnnw'n ca'l 'i ladd hefyd!

Yn sydyn mae Meri'n gafael yn y gyllell fara ac yn gweiddi:

– Bydd! Fel hyn!

Mae hi'n gwthio'r gyllell yn ddramatig i grombil y dorth. Ac mae ei chynulleidfa'n chwerthin.

*

Chwerthin a wna Victor hefyd, yn ei sach o ffedog waedlyd wrth olchi'i freichiau a'i offer o dan y pwmp dŵr.

– Jawl eriôd, 'na beth *o'dd* hen warior cryf! Fe ymladdodd e tan y funud ola, druan.

– Ie, 'druan' . . .

– Paid *ti* â dechre gwangalonni, Mavis fach!

– Sa i'n gwangalonni. Ond sa i'n gwbod shwt y'ch chi'n gallu neud hyn bob dydd. So fe'n troi arnoch chi?

– Weda i wrthot ti nawr, ma' 'na lot fowr o bethe'n troi arna i'n fwy na lladd moch! Y fenyw 'co s'da fi gatre, er enghraifft!

Chwerthiniad harti, pesychiad, a phoerad i'r gwter ac mae Victor yn dechrau sychu'r cyllyll yn ofalus, a'u gosod mewn cwdyn lledr. Daw Rhys o'r tŷ pair, ei ffedog yntau a'i ddwylo a'i freichiau'n waed i gyd. Y tu ôl iddo, yn hongian ar fachyn o'r to, mae Sioni Moni, ei berfedd wedi'u tynnu a'u harllwys i ddau fwced mawr.

– Jawl, wyt ti'n foi lwcus, Rhys bach, a'r fenyw bert 'ma'n dy helpu di fel hyn! Ma'r fenyw 'co s'da fi'n rhedeg milltir pan welith hi'r gylleth 'ma!

– Ma' 'i wraig *e* hefyd! On'd yw hi, Mister Jones?

– Ie wel, cyfreithreg yw hi, ontefe, Rhys bach! Gwaedu *pobol* ma'r jawled hynny!

Chwerthiniad, pesychiad a phoerad arall ac mae Victor yn barod i drafod tâl.

– Y telere arferol – a pharsel bach o gig pan fydd e'n barod.

– Ie – a fe ofala i weud wrth y *Welsh Gazette* bo' ni wedi lladd heb *bermit*. A fydda i'n disgw'l i ti helpu dalu'r ffein!

– Gad dy ddwli!

Mae Victor yn llygadu pen-ôl Mavis wrth iddi blygu dros y ffwrwm.

– A phaid ti â chlebran wrthyn nhw draw sha'r hostel 'na gw'gerl! A gyda llaw, galw heibo i Ffos Felen rhyw brynhawn, pan fydd y wraig 'co mas. Allen i neud â help menyw fel ti bob hyn a hyn! Aeth y demtasiwn i roi pinsiad sydyn i'w phen-ôl yn drech na'r lladdwr mochyn. Mae hi'n troi ac yn syllu'n oeraidd arno, ei brwsh sgrwbio yn ei llaw.

– O'n i'n dishgw'l i ti wichal, groten! 'Na beth ma'n nhw i gyd yn neud pan dwtsha i yndyn nhw! Gwichal fel mochyn!

– Sa i'n gwichal i unrhyw i ddyn, gwboi! Nawrte, os newch chi'n esgusodi i, ma' gwaith 'da fi i neud.

Mae hi'n gwenu'n ddrygionus ar Rhys wrth sgrwbio'r gwaed o'r ffwrwm.

– Cwato pechode – ontefe, Mister Jones!

Mae Rhys yn gwenu arni hithau.

*

Ddiwedd y prynhawn maen nhw wrthi'n cuddio eu pechod diweddaraf. A gwawr gochlyd y machlud yn treiddio drwy ffenestri car bach Martha, maen nhw'n syllu ar ei gilydd ar y sedd gefn, wrth wisgo haenau o barchusrwydd mewn distawrwydd llwyr.

Dyma'u cyfathrach gyflawn gyntaf, ond doedd hi ddim yn 'gyflawn' o bell ffordd. Y sedd gyfyng, prinder amser, ansicrwydd a dieithrwch – ac ofn gwirioneddol – i gyd yn ddŵr oer a diflas ar fflamau newydd eu nwyd. Ac mae Rhys yn grac â fe'i hunan. Roedd popeth wedi'i drefnu, popeth ar blât. Yr esgusodion yn berffaith – roedd yn rhaid i rywun fynd i gwrdd â phobol Llundain oddi ar y trên. Roedd yn rhaid i Mavis gael lifft yn y car gan nad oedd, am ryw reswm dirgel, unrhyw sôn am y lorri'n dod i'w chodi. A dyma nhw, wedi troi oddi ar y ffordd i Aberaeron ac wedi aros mewn encil coediog, wedi mynd i eistedd i'r sedd gefn i gofleidio a chusanu, ac wedi gadael i'r cofleidio a'r cusanu droi'n fwytho a byseddu a chwilota ac ymbalfalu a dadwisgo gwyllt. A'r cyfan wedi gorfod dod i ben heb y pleser eithaf. Hen Rhys bach Ffynnon Oer wedi'i gwneud hi eto. Na, heb ei gwneud hi eto. Heb ei gwneud hi o gwbwl . . .

– Sori, Mavis.

– Peidwch becso dim, Mister Jones bach. Fe gewn ni gyfle 'to.

Wrth edrych arni'n gwenu arno mor ddrygionus, mae Rhys yn sylweddoli dau beth – ei fod e'n ei charu, ond ei bod hithau'n ei ystyried ef fel dim mwy na thegan, un tic bach arall yn ei dyddiadur llawn.

*

Mae hi'n brysur iawn ar stesion Aberaeron, a chadeirydd y cyngor a'i wraig, y ficer a thri gweinidog a'u gwragedd i gyd, ynghyd â nifer o drigolion dyngarol eraill y dref, yn ymdrechu i gael trefn ar rhyw ddwsin o ifaciwîs, 'druen bach â nhw', sy'n sefyllian yn ddryslyd a blinedig ar y platfform. Mae'r ficer yn dweud gair bach syndod o sydyn a phwrpasol o groeso, ac mae'r lleill yn astudio rhestrau o enwau i wneud yn siŵr eu bod yn cyfateb i'r enwau sydd ar fathodynnau'r plant. Ac yna rhaid eu trefnu'n barau bach, a'u gwahodd i gerdded law yn llaw i gyfeiriad y Memorial Hall. Yno fe gân nhw swper bach o groeso cyn wynebu'r broses o gael eu dewis a'u dethol ar gyfer eu cartrefi newydd.

Yng nghanol y dieithriaid bach truenus mae triawd Llundain yn chwilio am olwg o Rhys. Does dim sôn amdano, er bod y trên dros chwarter awr yn hwyr. Ond daw Fred y Foel, y porter rhadlon sy'n gwneud mwy o siarad nag o gario bagiau, i'w croesawu.

– Croeso'n ôl i chi i gyd! Ond jawch, bois bach, ma' golwg wa'th na'r ifaciwîs arnoch chi a chithe'n tin-droi fel hyn!

– Disgw'l Rhys y'n ni . . .

– Disgw'l fyddwch chi, glei! Ma'r boi fel heddi a fory!

Ond fe gyrhaedda Rhys ar y gair, yn un rhuthr gwyllt, ei wyneb yn fflamgoch, a phatshys o chwys o dan geseiliau'i grys. Mae ei ymddiheuriadau'n frwd.

– Ges i ffwdan 'da'r car.

– Dwy funud 'to a fe fydden i wedi mynd â nhw draw i'r

100

Foel. Gele menyw bert fel Lizzie 'ma groeso 'da fi unrhyw bryd! Ma' digonedd o fenwod pert 'da ti lan sha Ffynnon Oer, Rhys bach!

Mae Rhys yn gwenu wrth gydio yn rhai o'r bagiau.

– O's – ond wy'n gwbod shwt ma'u trafod nhw i gyd!

Winc fach, ac i ffwrdd ag e, a'r lleill yn ei ddilyn yn un rhes – ac Isaac yn gwasgu'i fag bach du yn dynn, dynn at ei frest.

*

Ar ôl swper mawr o afu Sioni Moni, gyda thatws a grefi a winwns; ar ôl cytuno ble y bydd pawb yn cysgu – a Rhys yn cael ar ddeall nad oes dewis ond cael ei esgymuno i wely rebel yn y parlwr er mwyn i Lizzie gysgu gyda Martha; ar ôl i Lizzie ddatgelu ei pharseli bach o ddillad newydd ar gyfer y merched, a chael ar ddeall yn garedig mai ar ddydd Sul yn unig y byddan nhw'n eu gwisgo; ar ôl i'r merched dderbyn tair ceiniog yr un am adrodd eu hadnodau a chael eu hanfon i fyny'r staer i'w gwelyau; ar ôl i Rhys ymddangos o'r parlwr yn ei iwnifform *Home Guard*, a chael ei longyfarch gan bobol Llundain am 'wneud ei ran mor anrhydeddus'; ar ôl iddo afael yn ei ddryll a diflannu am ei shifft nos, fe ddaeth yn amser i eistedd a sgwrsio a rhannu profiadau. Ac i holi perfedd. Isaac sy'n holi'r cwestiwn mawr:

– Pryd glywoch chi 'wrth Ifan?

Mae Esther yn barod â'i hateb. Dyw hi ddim yn cofio, wir – pythefnos, dair wythnos 'nôl? Roedd e mewn hwyl dda iawn, beth bynnag, yn cofio at bawb . . .

– Er mwyn y nefo'dd, Mam!

Pan fydd llygaid duon Martha'n fflachio fel hyn, 'lwc owt'!

– Wncwl Isaac – dy'n ni ddim wedi clywed gair o'ddar iddo fe fynd bant. Dim gair. 'Na'i ddewis e, mae'n amlwg. Wedyn beth yw pwynt gweud celwydd?

Does gan Martha ddim amynedd â chelwyddau y dyddiau hyn. Fe gafodd ddigon ar bob celwydd, bach a mawr, hyd yn oed yr un pitw bach diniwed ynglŷn â lladd y mochyn heb ganiatâd, gweithred gyffredin iawn drwy'r ardal. Mae hi'n gyfraith gwlad sy'n gofyn am gael ei thorri ond yn un sy'n haeddu dirwy drom. A dyw Martha ddim yn hapus. Byddai'r gwarth yn annioddefol – teulu Ffynnon Oer yn cael eu dal am dorri'r gyfraith, a hithau'n gyfreithwraig uchel iawn ei pharch!

Petai Martha'n onest â hi ei hunan fe gyfaddefai nad y mân gelwyddau a thor-cyfraith pitw sy'n ei phoeni heno. Mae 'na bethau pwysicach. Pethau fel anhapusrwydd. Pethau fel priodas hesb. Pethau fel ei gŵr yn pwdu am fod gofyn iddo symud o'u gwely priodasol am dair noson, a'r gwely hwnnw wedi bod yn wag o gariad – ac o ryw – ers misoedd hir. Pethau fel troi cefn a gwrthod trafod, y dannod cyson am y 'conshi', y codi baw diddiwedd. Baw'r gorffennol . . .

Baw sydd wedi'i glirio ers deng mlynedd. Oni bai . . .

Mae Martha'n cau ei llygaid rhag yr 'oni bai'.

*

– Ody'n *seams* i'n strêt?

– Odyn – ond fyddan nhw ddim yn strêt yn hir!

– Siarada di drosot dy hunan, Brenda Hopkins!

Sanau sidan a sodlau uchel; ffrogiau lliwgar, blodeuog; gwalltiau cyrliog, crimp a wynebau'n drwch o golur. A'r cyfan yn mynd a dod yn llawn gweiddi a chwerthin ar hyd coridorau'r hostel ac i mewn ac allan o'r stafelloedd gwely.

– Damo, ma'n lipstic i jyst â cwpla.

– Sa i'n synnu dim! O'dd lot fowr ar goler y pŵr dab o'dd 'da ti echnos! Hwnnw o't ti'n 'i fyta fe'n fyw!

– Jawl, o'dd e'n ffein 'fyd! Tr'eni bo' fe 'di goffod mynd 'nôl i Sunderland! 'Na fe, 'sdim ots. Fe ga i rywun arall heno. A ma'n hen i bryd i tithe sgoro 'fyd, Mavis Thomas! So ti 'di ca'l dyn ers ache!

Oni bai bod Brenda'n brysur yn rhoi trwch o *charcoal* ar ei llygaid byddai wedi sylwi ar wên freuddwydiol Mavis.

*

Os oedd Martha'n poeni am dorcyfraith ar aelwyd Ffynnon Oer, mae syndod bach arall yn ei disgwyl. Llond bag du Isaac o syndod. Gwerth cannoedd ar gannoedd o bunnau o syndod wedi eu rhowlio'n dynn, eu clymu ag *elastic bands* a'u stwffio i amlenni brown o dan haenen o sanau a hancesi poced a chopi o'r Beibl.

– Allwn ni byth â mentro'u cadw nhw yn Llunden.

– Pam? Mewn banc ma'u lle nhw.

– Ma' bancs yn ca'l 'u bomo, Martha fach! Ma'n well 'da fi – os caf i, Esther – 'u cwato nhw fan hyn.

– Wncwl Isaac . . .

– Ti'n hollol iawn, Martha fach, 'u cwato nhw rhag bois y *tax* odw i. Ond pam lai? Ma' Annie a finne'n haeddu pob ceinog ar ôl gweitho'n galed ers blynydde.

– Rhyntoch chi a'ch busnes! Ma'n well 'da fi beido â gwbod dim!

– Dim problem, Martha fach. Caea di dy lyged i ryw bethe bach fel hyn, gwgerl. Wy'n siŵr bo' 'da ti bethe lot pwysicach i fecso amdanyn nhw.

Ai dychmygu'r olwg fach wybodus ar wyneb ei hewyrth a wna Martha?

*

– *Halt! Who-goes-there-friend-or-foe?*

– Jawl, Mavis, ma'r *Aberayron Militia* mas heno 'to!

Mae Dewi Blaen Cwm Isaf a Walter Bwlch yn gweld dau ddotyn bach coch yn nesáu drwy'r tywyllwch ac yn clywed clic-clac sodlau simsan ar y cerrig mân. Ac yna mae dwy fenyw bert yn sefyll yn awgrymog o'u blaen yn chwythu mwg eu sigaréts i'w hwynebau.

– Wel, Mavis, 'ma beth yw lwc! I beth y'n ni'n mynd bob cam i'r Memorial Hall, gwed, a dou fachan bach teidi fan hyn? Fydde'n well 'da fi ga'l walts ne' ddwy 'da'r rhain na gyda rhyw *Marines* meddw gaib!

Ei fam a'i chwaer yw'r unig fenywod ym mywyd Dewi Blaen Cwm Isaf. Dyw Walter Bwlch ddim wedi edrych ar fenyw arall oddi ar colli'i wraig ddeng mlynedd yn ôl. Dyna, mae'n siŵr, pam y maen nhw'n syllu'n syfrdan ar y ddwy haden fingoch, fochgoch sy'n siglo ar eu sodlau main o'u blaenau.

– Dewch bois bach, gwedwch rwbeth! So chi isie gweld 'yn *credentials* ni? Fe gewch chi weld 'yn rhai *ni* os cewn ni weld

103

'ych rhai *chi*! Bargen ddigon teg weden i. *All's fair in love and war!*

Mae Brenda'n chwerthin ac yn taflu ei sigarét i'r llawr. Hi sy'n gwneud y siarad i gyd, a Mavis yn syllu'n dawedog i'r tywyllwch dudew y tu hwnt i'r ddau ddyn. Ond fe gafodd Brenda ddigon ar y sbort unochrog.

– Dere, Mavis. Pam y'n ni'n bradu'n hamser fan hyn? Gad iddyn nhw i whare *soldiers* . . .

Mae hi'n dechrau cerdded yn ei blaen, ond yn aros yn stond wrth weld trydydd 'milwr' yn ymddangos o'r tywyllwch.

– Mister Jones! Shwt y'ch chi?

– Beth y'ch chi'ch dwy'n neud ffor' hyn?

– Mynd i Aberaeron y'n ni. Dawns, yn y Memorial Hall . . .

– Y'ch chi'n bell mas o'ch ffordd.

– Moyn gweld yr *Home Guard* wrth 'u gwaith o'n ni. Ontefe, Mavis?

Mae Mavis yn taflu ei sigarét ac yn gwenu arno.

– Nage – er mwyn clywed sŵn y tonne, a gweld y lleuad dros y môr, a'r sêr yn uchel yn yr awyr.

– Peidwch â'i chredu hi, Mister Jones! Dwlu ar yr iwnifforms 'na ma' hi. Ma' hynny'n saffach, glei, na dwlu ar beth sy o danyn nhw! A gyda llaw, Mister Jones, byddwch yn ofalus â'r dryll 'na 'sda chi. Weden i bo' fe'n ddansherus!

Gwên fach arall gan Mavis ac mae hi ar ei ffordd, a Brenda'n hopian fel robin goch ar ei hôl.

– Welwn ni chi, Mister Jones!

Ac mae Dewi Blaen Cwm Isaf a Walter Bwlch yn ochneidio mewn rhyddhad wrth eu clywed yn diflannu i'r pellter.

– Bachgen, bachgen, ma' *landgirls* Ffynnon Oer yn fwy dansherus nag unrhyw Jyrman!

– Dim os y'ch chi'n gwbod shwt ma'u trin nhw.

Mae Rhys yn cynnau sigarét ac yn gwrando ar sŵn y tonnau, gan syllu ar y lleuad dros y môr a'r sêr yn uchel yn yr awyr.

*

Oriau mân y bore ar aelwyd Ffynnon Oer, ac mae Martha'n eistedd ar ei phen ei hunan yn y gegin yn chwarae meddyliau. Bu'n ddiwrnod hir. Bu'n noson o groesawu pobol Llundain, trefnu lle i gysgu i bawb, paratoi swper mawr, a'i glirio. A bu'n noson o egluro a dweud gwironeddau a dadlau brwd.

Egluro'r ffrae a barodd ymddieithrio creulon Ifan Bach; dweud y gwir wrth Lizzie – nad oedd y merched yn dymuno gwisgo ffrogiau pert a sanau gwyn i'r ysgol a'u bod, ers eu diwrnod cyntaf, wedi cael gwisgo fel 'plant y wlad'. Dadlau yn erbyn torri cyfraith ar glos Ffynnon Oer. Dadlau ag Wncwl Isaac ynglŷn â'r arian yn y bag bach du – a dadlau i ddim pwrpas, gan iddo ddiflannu'n ddisymwth i'r llofft a'r bag bach du'n dynn o dan ei gesail.

A nawr dyma hi'n eistedd ar ei phen ei hunan, yn gohirio mynd i'r gwely, gan ddyheu am weld Rhys yn dychwelyd o'i chwarae plant. Mae yna rywun arall ar ei meddwl hefyd. Yn sŵn y cloc yn taro tri, mae Martha'n meddwl am ei chonshi bach, yn dyheu am ei weld, am glywed ei lais, am deimlo'i freichiau amdani, ei gorff yn agos ati a'i wefusau ar ei cheg. Ond fe roddodd orchymyn iddo i gadw bant, ac fe ufuddhaodd yntau. Does dim dal ble y mae e erbyn hyn. Wedi mynd o Aberaeron, falle, a hynny am byth . . .

Mae hi'n codi'n sydyn ac yn diffodd y lamp olew gan ei ffieiddio'i hunan. Pa hawl sy ganddi i ildio i lif meddyliau a dyheadau hunanol? Mae hi'n hen bryd iddi eu hatal, eu dileu am byth, a challio. Mae ganddi bopeth yn y byd – gŵr, plentyn, mam, teulu, gyrfa, cynhaliaeth dda ym mhob ffordd bosib. Beth yw'r anniddigrwydd mawr sydd yn ei chrombil? Beth yw'r anfodlonrwydd sy'n ei bwyta i'r byw y dyddiau hyn?

Mae'r ateb i'w chwestiynau'n cerdded i mewn drwy'r drws, yn ei chyfarch yn swta ac yn gwthio heibio iddi i'r parlwr, gan gau'r drws yn glep y tu ôl iddo.

*

Gyda'r wawr, mae Isaac Jenkins, ei fag bach du o dan ei gesail, a hen dun bisgedi yn ei law, yn sleifio ar draws y clos i'r tŷ pair. Mae'r drws yn gwichian wrth iddo ei agor, i ddatgelu, yn ei holl ogoniant, Sioni Moni'n hongian o styllen yn y nenfwd.

– Bore da i ti . . . Ma' hi'n fore bach ffein . . .

Ateb yr hen fochyn yw troi ar ei fachyn wrth i Isaac wthio heibio iddo at y wal bellaf. Y cam cyntaf yw gosod y bag bach du i lawr yn ofalus a syllu'n fanwl ar y wal. Yr ail yw dechrau swmpo'r cerrig. Y trydydd yw gafael mewn un garreg arbennig a'i thynnu'n rhydd. Y pedwerydd yw hel atgofion. Sawl gwaith y bu yma, yn grwt bach ifanc, yn cuddio'r baco a'r papurau sigaréts a'r matsys a ddygai'n gyson o gwdyn bach lledr ei dadcu? Sawl gwaith y sleifiodd i ben pella'r lôn, neu i Gae Top, neu i lawr i draeth y Gilfach er mwyn cael smôc? Cannoedd, efallai, o droeon hyfryd, ysgyfala, a phob tro fe fyddai'n ei longyfarch ei hunan am ei glyfrwch a'i wrhydri wrth dwyllo'r oedolion, heb sylweddoli eu bod yn gwybod beth oedd ei gêm, heb sylweddoli mai eu polisi oedd 'gadael llonydd i'r crwt' gan y byddai'n 'siŵr o gallio whap'.

Y cam nesaf yw agor y bag bach du, tynnu'r amlenni brown ohono, eu gosod un ar ôl y llall yn ofalus yn y tun bisgedi, a rhoi hwnnw, wedyn, yn y bwlch rhwng dwy garreg fawr. Ac yna rhoi'r garreg yn ôl yn ei lle, rhoi nòd o foddhad a phwyntio'i fys yn gyhuddgar at lygaid caeëdig y mochyn.

– Welest ti ddim byd – reit? A dim gair wrth neb!

Y cyfan a wna'r hen fochyn yw troi'n aflonydd ar ei fachyn.

*

– Rhys! Rhys achan, wyt ti'n 'y nghlywed i?

William Oernant sy'n gweiddi nerth ei ben ar Rhys o glwyd y lôn.

– Ma'r Inspector ar 'i ffordd!

– Uffern dân!

– Yn Bwlch ma' fe ar hyn o bryd. 'Sdim dal le eith e nesa! Wedyn, hasta!

Amser byr o ras cyn cael dirwy drom – neu garchar! Mae Rhys yn rhedeg i'r tŷ pair gan afael yn Mavis ar y ffordd a'i gorfodi i anghofio bod ei phen fel bwced ar ôl neithiwr a chael ei help i dynnu'r blwmin mochyn lawr o'i fachyn a'i gario ar draws y clos i'r ydlan. Yna, ei lusgo i'r sièd wair a cheisio codi'r corpws trwm, anhylaw – Rhys yn ei lusgo gerfydd ei ben a'i glustiau, Mavis yn gwthio'i ben-ôl – i fyny'r ysgol i ben y das. Cyrraedd y ris uchaf un, ond colli gafael, a'r diawl yn llithro bwmp-di-bwmp-di-bwmp o'r top i'r gwaelod a gorwedd yno'n stwbwrn, ei ben yn pwyso yn erbyn troed yr ysgol, ei gwt bach pinc yn addurn bach truenus. A Mavis yn gafael yn ei phen poenus ac yn chwerthin ar Rhys yn pipo ar y gyflafan o ben y das, ac yn chwerthin eto wrth iddo neidio lawr a rhoi cic i'r mochyn lle bu ei berfedd a'i regi i'r cymylau.

Mae Isaac ac Esther a Lizzie'n ymddangos ym mwlch yr ydlan, ac Isaac yn siarad mewn llais awdurdodol:
– Ma' 'da fi le da i' gwato fe . . .

*

Hanner awr yn ddiweddarach mae Mr Decimus Morris, *Cardiganshire Inspector for Food and Health*, yn sefyll o dan fachyn mawr yn nenfwd y tŷ pair tywyll, yn carthu'i lwnc ac yn chwythu'i drwyn i hances fawr.
– Maddeuwch i fi, ffrindie, ond ma'r annwyd 'ma bytu'n lladd i. Ody wir. Ma'r cwbwl wedi clogo, fel ffos yn llawn stegetsh. A'r peth gwaetha yw, alla i byth â gwynto dim.

Mae Rhys yn cyfrif ei fendithion. Dyna beth *yw* lwc.
– Reit 'te, 'na'r tai mas i gyd ife?
– Ie.
– Gwd . . .

Minten yn ei geg, a rhoi'r macyn yn ei boced, ac mae'r Inspector yn fwy na pharod i fynd o'r tywyllwch trwm i'r haul.
– Y tŷ byw amdani nawrte . . .
– Pam?
– Neud 'y nyletswydd, Mr Jones, neud 'y nyletswydd. Unrhyw broblem ynglŷn â hynny?
– Na, dim o gwbwl . . .
– Gwd.

Tic cydwybodol arall ar ei restr, ac mae Decimus Morris yn sniffian yn uchel cyn rhoi un droed fach bwt o flaen y llall a siglo fel hwyaden allan i'r awyr iach. Ochenaid sy'n gymysg o ryddhad a gofid, ac mae Rhys yn ei ddilyn.

Yn y tŷ, fe gaiff Decimus gyfle i gyfarfod â 'phobol Llunden' a'u rhybuddio i gadw draw oddi wrtho rhag dal ei annwyd. Byddai'n drueni heintio pobol dda y 'ddinas fowr'. Caiff gyfle gwych i restru achau'r perthnasau sydd ganddo yn Islington a Haringay, ac mae mab i gymydog iddo'n blismon yn yr House of Commons, a merch-yng-nghyfraith ffrind ei wraig yn nyrs yn Holloway. Caiff gyfle i roi tonc bach ar y piano yn y parlwr er ei fod yn ei chael hi'n anodd y dyddiau hyn gan fod y gwynegon yn prysur cloi ei fysedd. Mae'n rhaid iddo wrthod cwpanaid bach o de gan fod ganddo bledren wan. Ond drwy'r baldorddi a'r sniffian a'r peswch a'r cyfan i gyd, mae'r tics yn cynyddu ar y rhestr, a'r gegin, y gegin mas a'r parlwr i gyd wedi llwyddo yn y prawf.

– Reit, y cwbwl sy ar ôl yw'r llofft.

Oni bai ei fod yn brysur yn carthu eto fyth i'w hances, fe fyddai wedi gweld yr olwg boenus ar wynebau pawb. Isaac sy'n dod i'r adwy.

– Ma' problem fach 'da ni, Mr Morris.

– A beth yw honno, Mr Jenkins?

– Ma'n whâr-yng-nghyfreth, Mrs Esther Jenkins, yn orweddiog, ac wedi bod ers dyddie.

– O? Ma'n ddrwg 'da fi. A beth yw'r broblem?

– Pwl drwg iawn o ishelder.

– Cerwch o 'ma!

– 'Na pam y'n ni'n tri wedi dod lawr o Lunden. I dreial codi rhywfaint ar 'i chalon hi.

– Whare teg i chi. A druan fach â hi. Ond ma' fe'n beth cyffredin iawn y dyddie hyn, on'd yw e? Ar yr hen ryfel 'ma ma'r bai. Ma' pobol wedi ca'l hen ddigon, odyn wir. Ond beth newch chi â boi fel Hitler, wedyn? 'Sdim iws ildo nawr, cyn dangos pwy yw'r bòs!

– Wel, dyw Esther ddim yn dda o gwbwl . . .

– Peidwch chi â becso dim, Mr Jenkins bach. Fe fydda i'n ofalus iawn.

A does dim y gall neb ei wneud ond ei wylio'n taflu minten arall i'w geg, rhoi un goes bwt o flaen y llall, a dechrau dringo'r staer.

O'i gwely yn y bedrwm ganol, gall Esther glywed yr Inspector yn sniffian ei ffordd o stafell i stafell. Mae hi'n gorwedd fel styllen o lonydd a'r garthen at ei gên, yn disgwyl am y gnoc ar y drws. Ac fe ddaw, a llais Isaac yn galw arni'n ysgafn:

– Esther! Ma' Mr Morris yr Inspector isie gair â chi.

– Ie?

A daw'r ddau i mewn, Isaac yn wincio'n galonogol arni a

Decimus yn sugno'i finten yn ddifrifol nes bod ei ddannedd dodi'n clecian. Mae gwynt y finten yn llenwi ffroenau Esther pan ddaw e at ben y gwely a phlygu drosti.

– Mrs Jenkins fach, shwt y'ch chi?

– Ddim yn dda . . .

– Fel'ny o'n i'n deall wir, fel'ny o'n i'n deall. A ma'n ddrwg calon 'da fi darfu arnoch chi fel hyn, ond ma'n rhaid i fi neud 'y nyletswydd. Y'ch chi'n deall hynny . . .

Mae Esther yn nodio ac yn tynnu'r garthen fodfedd yn uwch.

– Nawrte, gwedwch wrtha i, Mrs Jenkins fach . . .

Mae'r fatres yn sigo'n beryglus wrth i gorpws sylweddol Decimus eistedd ar ei herchwyn.

– Beth yn gwmws sy'n 'ych poeni chi?

Mae llygaid Esther yn gwibio'n ymbilgar draw at Isaac, sy'n ateb drosti'n syth.

– Yr hen ishelder sy'n achosi gwynegon ofnadw – ontefe, Esther?

Mae hi'n nodio eto.

– Wel, ma' 'da fi gydymeimlad mowr, Mrs Jenkins fach, o's wir. Achos fe ges i'n gwmws yr un peth 'yn hunan dro'n ôl. Ishelder? Peidwch siarad! O'n i'n credu bod y byd ar ben. A'r gwynegon rhyfedda wedyn, fel 'se rhywun wedi bod yn 'y mwrw i â phastwn. 'Na chi dostrwydd! Ond weda i hyn wrthoch chi, fel gwedon nhw wrtha i. Chi'ch hunan a neb arall all 'i goncro fe.

Gafaela yn ei facyn gwyn o boced ei frest a chwythu ei drwyn fel trwmped.

Maddeuwch i fi, ond wy'n gors o annwyd. Y seinys wedi clogo, medde'r doctor. Nawrte, Mrs Jenkins fach, y cwbwl s'da fi weud wrthoch chi yw hyn – gore pwy gynta y dewch chi mas o'r gwely 'na. A fe weda i hyn hefyd. Ma' isie tonic arnoch chi. Fe ges i boteled 'da Cyril Cemist pwy ddwyrnod, a fe 'na'th e fyd o les i fi.

Pwl o beswch a charthiad arall i'w hances ac mae'r Inspector ar ei draed.

– Fe alwa i heibo â photeled i chi. A falle y cawn ni donc fach arall ar y piano! Wy'n joio tonc fach ar y piano! Gwbei nawr, Mrs Jenkins fach . . .

– Gwbei . . .

– A mas o'r gwely 'na – iawn?

– Iawn . . .

Ar ôl i Isaac gau'r drws mae Esther yn dal i orwedd fel delw yn y gwely. Ond cyn gynted ag y clyw eu lleisiau'n pellhau i lawr y staer mae hi'n tynnu'r garthen yn ôl ac yn ochneidio mewn rhyddhad – cyn troi i edrych ar Sioni Moni'n gorwedd yn jocôs wrth ei hochor, ei ben ar y gobennydd, ei lygaid bach ynghau.

Fe glyw leisiau Isaac a'r Inspector allan ar y clos; fe glyw ei gar yn cychwyn ac yn diflannu i fyny'r lôn; fe glyw fonllef o weiddi a chwerthin yn dod o'r gegin, ac yna sŵn lleisiau'n canu i gyfeiliant y piano:

– ' Holl drigolion bro a brynie
Dewch i wrando hyn o eirie,
Fe gewch glywed am hen fochyn
A fu farw yn dra sydyn.'

Mae hi'n codi o'r gwely yn sŵn buddugoliaethus y cytgan:

– 'O mor drwm yr ydym ni
Ar ôl marw'r mochyn du.'

Yn sŵn y clapio a'r gweiddi mae hi'n curo'i ffon ar y llawr ac yn gweiddi:

– Ddaw rhywun i symud y mochyn 'ma *nawr*, cyn iddo fe ddrewi'r gwely 'ma i'r cymyle!

*

Mae Martha wrth ei desg, yn darllen y paragraff am y trydydd tro.

LATEST WILLS – LOCAL CONNECTIONS

Dr Robert Roberts, formerly of Harley Street, London, bequeathed his home, Plas House, Maidenhead, to his widow, Mrs Grace Roberts, on condition that it be given to his son, Ifan Enoc Jenkins, Ffynnon Oer, Brynarfor upon her death or her re-marrying. He also bequeathed half the remainder of his substantial assets to Ifan Jenkins, and the other half . . .

Mae Martha'n ochneidio. Dyma'r union beth a ofnai ers blynyddoedd. Y cyfan i'r byd ei weld mewn du a gwyn ar dudalennau'r *Welsh Gazette* . . .

and the other half to Ifan's mother, Jane Letitia Walters (née Jenkins), Dr Roberts's niece by marriage . . .

Reit, mae'n rhaid i'r tylwyth gael gwybod am hyn . . .

*

Mae'r mochyn wedi'i dorri'n ddarnau ac mae Rhys a Mavis yn eu halltu, yn ofalus, fesul darn. Mae hi'n ymwybodol fod Rhys yn ei gwylio'n ddyfal, ei fod yn gwylio'i hwyneb, yn gwylio'i dwylo, ei bysedd yn rhwbio'r halen i mewn i'r cig, yn drylwyr, rhythmig. Mae e'n gwenu arni.

– Ti'n cofio'r dwyrnod gwmpest ti, a throi dy bigwrn?

– Pam wyt ti'n cofio hynny nawr?

– Dy weld di'n rhwto'r cig 'na. 'Na beth 'nes i, ontefe? Rhwto dy dro'd di'n dyner . . .

– Wyt ti wedi rhwto sawl peth arall ers hynny, gwboi!

Sŵn car sy'n torri ar draws eu chwerthin, ac mae Mavis yn sibrwd yn ddrygionus:

– Yr Inspector sy 'na!

– Martha sy 'na, y dwpsen!

– Yn gwmws, Mr Jones!

*

Isaac sy'n darllen, ei sbectol ar flaen ei drwyn.

– The total estate is estimated at a hundred and fifty nine thousand pounds and sixteen shillings. Some may remember Dr Roberts being in contention to gain the nomination as Liberal Party candidate to succeed Mr Rhys Hopkin Morris as Member of Parliament for Cardiganshire. His sudden withdrawal, for personal reasons, caused a stir in the political circles of this county.

Tawelwch, a phawb yn edrych ar ei gilydd. Esther sy'n siarad gyntaf.

111

– Isaac, Annie, o'ch chi'n gwbod am yr ewyllys 'ma?

– Nago'n. Wedodd Grace ddim gair.

– A hithe'n whâr i ti, Annie?

– So Grace a finne'n siarad rhyw lawer y dyddie hyn.

– Wel, fe fydd pawb ffor' hyn yn siarad! Fe fydd y tafode'n clebran nawr, o byddan! A phob Tom, Dic a Harri'n gwbod 'yn busnes ni i gyd.

– Wedes i ddigon, Mam. Ma'r gwir yn drech na chelwydd.

– Bydd ddistaw, Martha! 'Llawer gwir, gore'i gelu'!

– Gwedwch chi, Mam, gwedwch chi . . .

Mae Martha'n cerdded allan yn benisel, gan adael Lizzie i geisio cysuro Esther.

– Bydd pobol yn deall taw neud 'ych gore o'ch chi, dros Jane ac Ifan Bach.

– Ma' 'da ti fwy o ffydd yn y natur ddynol na s'da fi, Lizzie fach!

– Ta beth am hynny, fe fydd Ifan Bach yn iawn.

– Bydd. Ma' fe'n werth 'i ffortiwn, ta ble ma' fe.

– Fe fydd Jane yn iawn tra bydd hi, hefyd, â'r holl arian 'na.

– Bydd, yn sownd yn 'i byd bach trist 'i hunan, druan fach . . .

*

Drannoeth, eistedd yn haul gwantan Medi yng ngardd yr ysbyty y mae Jane pan gyrhaedda triawd Llundain gydag Esther. Mae hi'n gwisgo'r flows wen a gafodd gan Lizzie, ac mae hi'n byseddu'r siôl liwgar sydd am ei gwar. O'i chwmpas mae ei chyd-gleifion, yn eistedd yn ddiymadferth mewn cadeiriau brwyn neu ar y seddi pren bob ochor i'r llwybr. Mae ambell un yn cael ei wthio mewn *bathchair* gan nyrs neu berthynas, neu'n cerdded yn araf gyda'u teuluoedd. Mae Esther yn plygu i siarad â hi.

– Drycha pwy sy wedi dod i dy weld di heddi, Jane fach! Anti Annie, Wncwl Isaac a Lizzie – bob cam o Lunden!

– Shwt wyt ti, Jane? Dy Anti Annie odw i. Wy 'di dod â ffrwythe i ti – afal a dou bersyn bach. Gobeitho y byddi di'n 'u lico nhw.

Mae llygaid Jane yn dal i syllu draw at lwyn o rododendron,

ei bysedd yn crynu ar hyd ymyl ei siôl. Mae Lizzie'n cwtsho lawr ac yn sibrwd wrthi:

– Ma'r flows yn dy siwto di, Jane. O'n i'n gwbod y bydde hi . . . Y tu ôl iddyn nhw mae'r tri arall yn gorws uchel.

– Gwed wrthi bo' ti wedi dod â 'bach o'r brôn iddi.

– Na, fydd hi ddim callach. Fe af i ag e draw i'r gegin nawr.

– Druan fach â hi . . .

– Ie wir.

– Ti'n mynd i weud wrthi am ewyllys Robert?

– Na, i beth? Fydde hi ddim yn deall.

– Na fydde, sbo.

– Pwy mor amal ma'n nhw'n ca'l 'u gadel mas?

– Bob hyn a hyn, os fydd y tywydd yn ffein. Fel arall ma'n nhw dan glo. Wel 'sdim dewis 'da nhw, o's e?

– Nago's falle . . .

– Y'ch chi'n deall nawr beth y'n ni'n mynd drwyddo fe? 'Sdim byd 'na. Dim byd . . .

– Ti'n iawn . . .

Yn sydyn mae Lizzie'n troi arnyn nhw.

– Stopwch hi, 'newch chi! Beth sy'n bod arnoch chi, yn clebran amdani fel hyn fel 'se hi ddim yn bod! *Ma'* hi'n bod! Jane yw 'i henw hi, a ma' hi'n deall popeth! On'd wyt ti, Jane?

Mae Lizzie'n cyffwrdd â boch Jane â chefn ei llaw, gan rwbio'i chroen yn ysgafn. Mae Jane yn cau ei llygaid ac mae ei bysedd yn llonyddu ar ymyl y siôl.

– 'Na ti, Jane fach . . . 'Na ti . . . 'Drycha, fe ddes i â hwn i ti . . . Potel fach o *Lavender Water*. Ma' fe'n neis, yn gwynto'n ffein . . . Fe roia i beth ar dy wegil di fel hyn . . . Neis? A pheth ar dy arddyrne di fel hyn . . . Ac ar dy facyn poced di . . .

Mae llaw Jane yn codi at y botel ac mae hi'n gafael ynddi a'i hastudio.

– 'Na ti, ti pia hi. Iwsa dipyn bach bob dydd . . .

Mae Jane yn magu'r botel fach ac yn siglo'n ôl a blaen, ei llygaid ynghau.

– Gelon ni lot o sbort, on'dofe Jane? Ti a fi . . . Ti a fi yn ladis bach yn Llunden, yn joio bywyd, yn credu'n bod ni'n gwbod y cwbwl. Ond o'n ni mor ddiniwed . . . Ond jawch eriôd o'n ni'n ffrinds, on'd o'n ni? Gweud popeth wrth 'yn gilydd. Mynd i

bobman gyda'n gilydd. I'r capel, i'r caffi, am bicnics i Hyde
Park ar brynhawnie Sul. Ti'n cofio ni'n tynnu'n sgidie a'n sane
a phadlo yn y dŵr?

Mae Lizzie'n gwasgu ei llaw.

– Jane, wyt ti'n cofio Gwen?

Mae Jane yn crychu'i thalcen.

– Gwen, croten fach John a finne. O'dd hi'n ddwy pan gest ti
Ifan Bach . . .

Yn sydyn mae Jane yn agor ei llygaid, yn syllu'n ddwfn i
lygaid Lizzie ac yn gwasgu ei llaw yn dynn.

– Beth wyt ti'n 'i gofio, Jane? Gwed wrtha i . . .

Mae llais y nyrs yn torri ar eu traws.

– Jawch ma' rhywun yn gwynto'n ffein fan hyn! *Lavender
Water*! On'd wyt ti'n groten lwcus!

Mae'r cyfle wedi'i golli.

*

Ddiwedd y prynhawn, ac mae hi'n dawel ar glos Ffynnon Oer.
Fe ddaeth Martha o'i gwaith yn gynnar er mwyn mynd â hwy
am bicnic i draeth y Gilfach. Rhys a Mavis a Mot y ci ac ambell
gath yw'r unig rai sy'n eistedd yn yr haul hwyr. Mae Rhys a
Mavis yn eistedd ar y sêt fach lechen wrth ymyl y twlc mochyn
gwag. Fe fydd hi'n mynd i ben y lôn cyn hir i ddal y lorri'n ôl
i'r hostel.

Does dim yn cael ei ddweud. Dy'n nhw ddim yn cyffwrdd yn
ei gilydd. Y prynhawn yma y digwyddodd hynny, o dan y
fedwen arian yn nghornel pella Cae Glas, a hwythau wedi mynd
i weld yr anner gyflo.

– Fydd hi ddim yn hir. Ma' hi wedi gwahanu 'wrth y lleill yn
barod. A ma' hi wedi dechre dwddu, wel'di . . .

– Beth ddiawch yw 'dwddu', Mister Jones?

– Dere â dy law i fi . . . Pan fydd yr esgyrn wedi rhoi fel hyn,
er mwyn neud lle i'r llo . . . A drycha ar 'i thethi hi. Ma' hi'n
dechre diferu . . .

Fe fydd Mavis yn cofio blas y llaeth ar fysedd Rhys am byth.
Fe fydd hi'n cofio'r cyplu gwyllt o dan y fedwen, a'r anner fach
yn syllu'n wybodus arnyn nhw.

A nawr maen nhw'n eistedd mewn distawrwydd, y naill yn disgwyl i'r llall siarad. Mavis, o'r diwedd, sy'n sibrwd:

– Wyt ti'n difaru, on'd wyt ti?

– Difaru beth?

– Popeth. Beth ddigwyddodd y prynhawn 'ma, popeth sy wedi digwydd rhynton ni ers wthnose.

– Ti'n credu 'nny?

– Odw. A licen i i ti wbod bo' fi'n deall. Achos 'bach o sbort o'dd e, ontefe? Allwn ni anghofio bo' fe wedi digwydd, os taw 'na beth wyt ti isie. Fe alle pethe fynd yn rhy ddansherus . . .

Yn sydyn mae Rhys yn gafael ynddi ac yn ei chusanu'n frwd cyn syllu'n wyllt i'w llygaid.

– Paid byth â gweud 'na 'to! Addo i fi, Mavis, paid byth â gweud 'na 'to!

– Gweud beth?

– Y gallwn ni anghofio beth sy wedi digwydd! Shwt allwn ni?

– Rhys, gan bwyll . . .

– Mavis, ti'n gwbod beth wyt ti'n neud i fi? Byth ers i ti ddod 'ma, wy'n ysu am dy weld di. Bob bore, wy'n dishgw'l i ti gyrra'dd. Bob prynhawn, wy'n casáu dy weld di'n mynd. Wyt ti ar 'y meddwl i ddydd a nos. Allen i byth â godde byw o ddydd i ddydd heb wbod 'mod i'n ca'l dy weld di. Y gwir yw, Mavis . . .

Eiliadau hir heb ddim ond cân angerddol mwyalchen o ganghennau'r goeden afal.

– Y gwir yw 'mod i'n dy garu di.

Cyn i Mavis gael cyfle i ymateb, mae corn y lorri i'w glywed ar ben y lôn.

– Ma'n rhaid i fi fynd . . .

Mae hi'n codi ac yn dechrau cerdded i fyny'r lôn. Mae Rhys yn syllu arni gan ddyheu am iddi droi'n ôl i'w gyfarch unwaith cyn diflannu. A dyna a wna – aros, troi, a chodi ei llaw.

– Wela i chi fory, Mister Jones!

Ac yna fe gerdda yn ei blaen gan adael Rhys i gofio am laeth yr anner yn diferu ar flaen ei fysedd.

*

115

HYDREF, 1941

– 'Saith oed oedd Mair, a dwy flwydd a hanner oedd Eiry. Wrth y ford gron a'r lamp yr eisteddai Gwen Owen, y fam, yn prysur wau hosan, a'i llygaid yn aros yn garuaidd ar y naill ar ôl y llall o'i hanwyliaid bach. Ni welid y tad ar yr aelwyd. Ers mwy na dwy flynedd yr oedd enw Elis Owen yn . . . '

– Mam, pryd fydd Dat yn dod 'nôl?

Mae Martha'n syllu ar wyneb Meri, sy'n gorwedd yn ei chesail yn y gwely. Fe ddaeth ati i'r bedrwm fowr gynnau, *Teulu Bach Nantoer* yn ei llaw, yn cwyno nad oedd yn gallu cysgu. Dyma'r drefn bron bob nos y bydd Rhys yn mynd *on duty*. Martha'n mynd i'r gwely, Meri'n dod ati ac yn ymbil am stori, a'r ddwy'n cwtsho gyda'i gilydd nes bod Meri'n mynd i gysgu. Ac yna Rhys yn cyrraedd, rywbryd yn yr oriau mân, a'i chario'n ôl i'r bedrwm sbâr at y merched eraill.

– 'Sdim dal, Meri fach. Ma' fe wedi goffod newid shifft. Neud ffafar dros rywun arall.

– Alla i gysgu 'ma drw'r nos?

– Na, gwely Mam a Dat yw hwn. Ma' '*da* ti dy wely bach.

– Nago's ddim! Wy naill ai'n goffod rhannu gyda Charlotte ne' Olwen, ne' gysgu ar y gwely rebel!

– 'Na'r drefen, Meri fach. 'Sdim lle 'da ni i neud fel arall.

– Ond dyw hi ddim yn deg!

– Paid â dechre achwyn. A ta beth, wyt ti wrth dy fodd 'da'r merched.

– Odw – ond . . .

Mae'r drws yn agor ac mae Esther yn sefyll yno ar bwys ei ffon, ei gwallt yn gudynnau hir dros ei hysgwyddau, ei hwyneb yn welw yng ngolau'r gannwyll.

– Caton pawb, Meri fach. Fan hyn 'da dy fam wyt ti heno 'to?

– Cadw cwmni iddi odw i.

– Fe eith hi'n ôl nawr . . .

Yr hyn y mae Martha'n dyheu am ei ddweud wrthi yw

'Cerwch o 'ma, Mam. Gadwch lonydd i Meri a fi. Dyw hyn ddim busnes i chi'. Ond does ganddi mo'r egni, na'r wyneb – na chwaith y galon – i beri loes i'r hen wraig sy'n syllu arni mor bryderus. Mae'n siŵr ei bod hi'n sylweddoli nad yw pethau'n dda rhyngddi hi a Rhys. Mae'n siŵr ei bod yn gofidio'i henaid am ei merch a'i hwyres fach, y ddwy sy'n cysuro'i gilydd mor aml yn y gwely mawr. Felly y cyfan a wna Martha yw dymuno 'Nos da' digon serchog iddi cyn gwenu ar Meri ac ymestyn am y llyfr.

– Reit 'te, *Teulu Bach Nantoer*. Ble o'n ni, gwed?

*

Ganllath o'r hostel y mae Rhys, yn oedi yn y cysgodion ac yn cynnau sigarét. Dyma'r rhan beryclaf o'r holl broses. Mae hi'n ddigon hawdd dweud wrth Martha y bydd yn hwyr yn cyrraedd adref. Mae hi'n hawdd twyllo'i gymdeithion ar y shifft bod gofyn iddo fynd adre'n gynnar. Mae hi'n hawdd cuddio'i ddryll ym môn y clawdd. O, ydy, mae hi'n berffaith hawdd dod mor bell â hyn – mor agos â hyn i'r hostel. Ond o hyn ymlaen mae gofyn bod yn wyliadrus neu gall dyn ei gael ei hunan yn y cach. Cael a chael fu hi sawl gwaith. Ond mae profiad yn hwyluso popeth.

Rhaid aros nes bod y cusanu a'r ffarwelio'n dod i ben, nes bod pob *Marine* a *jeep* wedi mynd, nes bod y lle'n berffaith dawel. Wedyn symud yn wyliadrus at gefn yr adeilad, i mewn drwy'r ffenest gilagored ac i fyny'r staer. Weithiau fe fydd sŵn sibrwd a chwerthin i'w glywed o'r tu ôl i ambell ddrws caeedig ar hyd y coridor – rhyw gyplau eraill yn chwarae'r un gêm.

Heno eto, fel pob tro o'r blaen, mae popeth yn mynd fel watsh. Fe gyrhaedda Rhys yn saff i'r ystafell bellaf, a chnocio, a chael y croeso cynnes arferol.

– Shwt ma' hi'n ceibo, Mister Jones? *All quiet on the Western Front?*

– Ody, fel y bedd, Miss Thomas.

– Whare teg i'r hen Jerry, yn gadel llonydd i ni fel hyn.

– I neud pethe neis fel hyn . . .

– A fel hyn . . .

*

117

Mae'r ceiliog yn clochdar ei brotest. Mae hi'n hen bryd i rywun ei ryddhau e a'i ffowls o'r sièd. Draw wrth glwyd Cae Canol mae'r gwartheg yn brefu'n anniddig, eu cadeiriau'n anghysurus o drwm. Ac yng nghegin Ffynnon Oer mae Esther yn holi Martha'n dwll.

– Ble ddiawch ma' Rhys?

– 'Sdim syniad 'da fi.

– Dda'th e ddim 'nôl neithwr?

– Naddo.

– Wel, so ti'n becso, groten? Ma'n rhaid bod rhwbeth wedi digwydd iddo fe!

Mae gwraig i ŵr anffyddlon yn nabod yr arwyddion. Mae gwraig a fu'n anffyddlon yn eu nabod nhw'n well. Ac mae Martha'n deall ers wythnosau bod gan Rhys fenyw arall. Pwy? Dyna'r cwestiwn.

– Wedi ca'l 'i ddala ma' fe, Mam. Fydd e gatre whap.

– Wel, nes daw e gatre, beth y'n ni'n mynd i neud? Ma'r da'n breifad 'i hochor hi ers orie, a ma'n rhaid i rywun odro! Martha, ateb fi, beth y'n ni'n mynd i neud?

'Beth odw *i*'n mynd i neud?' meddylia Martha.

*

Y gloch frecwast sy'n dihuno Rhys a Mavis o'u trymgwsg melys.

– Damo, jawl! 'Na hi'n gachu hwch!

Mae Rhys yn neidio o'r gwely ac yn ymbalfalu'n wyllt am ei ddillad.

– Gan bwyll nawr, Mister Jones . . .

– 'Gan bwyll'! Ma' hi wedi whech, a 'ma fi, yn borcyn yn dy stafell di! Ble ddiawl ma' Brenda? Pam na dda'th hi i'n dihuno ni fel arfer?

– Y *Marine* bach pert 'na wedi'i chadw hi ar ddi-hun yn hwyr, siŵr o fod.

– Ble ddiawl ma' 'mhants i?

Mae Mavis yn chwerthin wrth chwifio'i bants o flaen ei drwyn.

– Dere i'w moyn nhw!

118

– Mavis, paid â whare ymbytu!

Ac yna'n sydyn mae'r drws yn agor.

– O'n i'n ame!

Nid dyma'r tro cyntaf na'r tro olaf i Miss Norah Evans ddal dyn yng nghynteddau cysegredig yr hostel. Fe welodd sawl un bach noeth cyn hyn. Ond dyma'r tro cyntaf iddi weld dyn cyfarwydd iddi, yn nhraed ei sanau a dim arall, yn dal trowsus ei iwnifform *Home Guard* o'i flaen. Ac mae hi wrth ei bodd.

– Sefwch chi am funud fach . . . Wy'n 'ych nabod chi . . . Mab-yng-nghyfreth Ffynnon Oer y'ch chi, ontefe?

Mae hi'n hwylio i mewn i'r ystafell, ei bronnau nobl yn ysgwyd fel dwy gloch.

– Wel, wel! Wy'n nabod Mrs Esther Jenkins ers blynydde. Menyw fach barchus . . . Beth feddylith hi o hyn, druan fach â hi? Bod hen staliwn ar 'i haelwyd hi!

Mae hi'n troi ei llygaid twrci at y gwely, ac yn tynnu swch fach wawdlyd wrth weld Mavis yn eistedd ynddo, y dillad at ei gwddf.

– 'Sdim iws i chi dreial cwato fel'na, Mavis Thomas!

Ac yna mae Miss Norah Evans yn gwenu hen wên fach sbengllyd wrth sylweddoli rhywbeth diddorol iawn.

– Wrth gwrs! Wy'n deall nawr! Fe geloch chi groeso mowr yn Ffynnon Oer. A fel *hyn* y'ch chi'n diolch chi iddyn nhw! Wel, fydd dim croeso i chi *nawr*! A gweud y gwir, fydd dim croeso 'da neb i hen hwren fach fel chi, wedyn man a man i chi baco'ch bags a'i baglu hi o 'ma! A chithe'r staliwn! Gwisgwch y trowser 'na, a cerwch! Cerwch mas o 'ngolwg i!

Mae hi'n cau'r drws yn glep gan adael y cariadon yn syllu ar ei gilydd.

– Rhys bach, beth y'n ni'n mynd i neud?

Mae Rhys yn mynd i eistedd ati ar y gwely ac yn ei chofleidio.

– Paid ti â becso nawr . . .

Fe ŵyr Rhys yn union beth y mae'n mynd i'w wneud . . .

*

119

Fe benderfynodd Martha fynd i moyn y gwartheg ar yr union adeg ag y daw ei gŵr i'w chyfarfod i lawr y lôn. Mae'r ddau'n wynebu ei gilydd cyn i Martha ofyn y cwestiwn amlwg, angenrheidiol:

– Ble wyt ti wedi bod?

Y cyfan a wna Rhys yw ysgwyd ei ben yn raddol a chilwenu'n rhyfedd arni, cyn mynd heibio iddi a cherdded at y tŷ. Yr un cwestiwn a gaiff gan Esther a'r un edrychiad iasol a gaiff hithau'n ateb. Ac yna, heb ddweud gair wrth Meri sy'n eistedd gyda'r lleill wrth y ford frecwast, mae Rhys yn brasgamu i fyny'r staer.

– Beth sy'n bod ar Dat, Mam-gu?

– Wy ddim yn gwbod, Meri fach.

Rhyfedd nad yw Meri'n gofyn 'Beth sy'n bod ar Mam?' pan ruthra Martha i'r tŷ a rhedeg i fyny'r staer ar ôl Rhys. Ond mae rhyw reddf gynhenid yn ei hatal, a'r cyfan a wna yw syllu'n llawn diflastod i lygad yr wy wedi'i ferwi sydd o'i blaen, gan osgoi llygaid chwilfrydig ei chnitherod, a llygaid gofidus ei mam-gu.

Does dim yn cael ei ddweud yn y bedrwm fowr. Mae Rhys yn agor ac yn cau cypyrddau a drôrs fel dyn gwyllt wrth chwilota am ei ddillad. Mae Martha'n eistedd ar y gwely, yn gwylio pob symudiad, yn ceisio'i gorau i reoli'i dagrau. Ond mae hynny'n anodd, unwaith y sylweddola bod Rhys yn dechrau gwisgo'i ddillad gorau – ei siwt dydd Sul a'i grys gwyn a'r tei a gafodd yn anrheg pen-blwydd gan Meri.

– Beth sy'n digwydd, Rhys?

– Ma' hynny'n amlwg, glei!

Ac fel petai'n tanlinellu pa mor amlwg ydyw, fe ymestynna i dop y wardrob fawr am y *portmanteau* brown.

– Wy'n d'adel di, Martha.

Er ei bod yn disgwyl clatshen, doedd hi ddim wedi dychmygu y byddai'n un mor galed. Mae'r frawddeg yn atseinio yn ei phen, yn gymysg â brefu'r gwartheg wrth glwyd Cae Canol.

– I ble fyddi di'n mynd?

Mae'r dillad isaf a'r crysau'n cael eu taflu'n gawdel i'r *portmanteau.*

– Yn ddigon pell o fan hyn. A phaid â gweud dy fod ti'n synnu. Wyt ti'n gwbod cystal â fi shwt ma' pethe wedi bod rhynton ni ers amser. Y'n ni'n dou wedi mynd 'yn ffyrdd 'yn hunen, on'd y'n ni?

Yn sydyn mae pen Meri'n pipo rownd y drws. Mae hi'n chwilio am frwsh gwallt – esgus bach cyfleus, yn hytrach na chyfaddef ei bod am wybod beth sy'n digwydd y tu ôl i ddrws caeëdig y bedrwm fowr. Ond cheith hi ddim gwybod. Cheith hi mo'r dolur hwnnw. Dyna pam y mae Martha'n ei gorchymyn i fynd i ofyn i'w mam-gu frwsho'i gwallt. Dyna pam y mae'n hebrwng y groten fach anfoddog o'r stafell ac yn cau'r drws y tu cefn iddi. Dyna pam y mae hi'n mynd at Rhys ac yn sibrwd y geiriau nesaf:

– O's 'na fenyw arall?

Clatshen arall yw'r olwg fuddugoliaethus ar ei wyneb.

– O's!

– Pwy?

– Do's dim ots pwy.

– Odw i'n 'i nabod hi?

– A beth yn y byd sy'n digwydd fan hyn? Pam wyt ti, Rhys, yn dy siwt dy' Sul?

Doedd y naill na'r llall wedi sylwi ar y drws yn agor. Ond dyma hi eto, y fatriarch hollbresennol, yn union fel yr oedd hi neithiwr, yn pwyso ar ei ffon ar riniog y bedrwm fowr. Ond os oedd Martha'n drugarog wrthi neithiwr, mae Rhys wedi'i gynddeiriogi'n enbyd. Ac mae llifddorau blynyddoedd maith o chwerwder a rhwystredigaeth yn agor i ollwng ton ar ôl ton o gyhuddiadau creulon.

– Beth y'ch chi'n neud 'ma, fenyw? Pwy hawl s'da chi i ddod miwn fan hyn a hwpo'ch trwyn i'n busnes ni? Weda i wrthoch chi – dim hawl o gwbwl! Ond 'na'ch hanes chi eriôd! Meddwl bo' chi'n fòs ar bawb! Yn fòs ar 'ych plant, yn fòs arna *i*! Y'ch chi wedi 'nhrin i fel gwas eriôd! Na, fel caethwas! Yn gwmws fel 'sech chi'n berchen arna i! Wel, chewch chi ddim neud hynny byth 'to!

Mae gweld wyneb torcalonnus ei mam yn ormod i Martha. Mae hi'n codi ac yn rhedeg o'r stafell gan weiddi ar y merched ei bod hi'n hen bryd iddyn nhw fynd i'r ysgol. Dyna'r lle gorau iddyn nhw, rhag iddyn nhw glywed na gweld dim mwy o'r gwenwyn dychrynllyd yma.

Mae'r fatriarch yn cerdded i mewn i'r bedrwm fowr ac yn sefyll yn gadarn wrth droed y gwely, wyneb yn wyneb â'i mab-yng-nghyfraith. Yn union fel dau geiliog mewn talwrn, maen nhw'n llygadu'i gilydd yn awchus, y naill yn disgwyl i'r llall wneud y symudiad cyntaf. Mae lleisiau'r merched yn codi o'r clos ac yna'n diflannu'n raddol i fyny'r lôn, nes bod dim byd ond brefu'r gwartheg i'w glywed unwaith eto.

Esther sy'n siarad gyntaf, ei llais fel carreg.

– Dealla hyn – os cerddi di mas drw' ddrws Ffynnon Oer, chei di byth ddod 'nôl.

Ond petai hi'n gystadleuaeth, llais caled Rhys a enillai, o drwch blewyn.

– Deallwch chithe *hyn* – y peth dwytha nelen i fydde dod 'nôl i Ffynnon Oer.

Mae Rhys yn gafael yn y *portmanteau* ac yn mynd am y drws.

– Diolch yn fowr i ti, Rhys, am bopeth.

Beth? Dyw Rhys ddim yn gallu credu'i glustiau. Y fenyw o garreg yn diolch iddo? Ond wrth droi i'w hwynebu fe sylweddola mai poeri ei dicter y mae hi. Ac am y tro cyntaf erioed, fe wêl y tebygrwydd rhyngddi a Martha – y llygaid duon yn tasgu, yr wyneb yn dynn gan emosiwn. Dyma Martha ymhen ugain mlynedd.

– Diolch am fradychu dy wraig a dy blentyn. Diolch am ddod â gwarth ar Ffynnon Oer.

– A ma'n ddrwg 'da finne, Mrs Jenkins, am orfod 'ych atgoffa chi nad fi yw'r unig un i ddod â gwarth ar y teulu 'ma. Ond weda i ddim mwy – dim ond 'ych rhybuddio chi'n garedig bod lot mwy o warth 'da chi i'w wynebu 'to.

Mae Martha'n disgwyl amdano wrth y twlc, ei chwestiwn mawr yn barod i'w saethu ato.

– Beth odw i fod gweud wrth Meri?

Ac fe ddaw'r ateb, hefyd, fel bollt.

– Gwed wrthi am y conshi.

– Nefoedd, Rhys! Sawl gwaith ma'n rhaid i fi weud wrthot ti? Do's dim byd rhynton ni!

– Rhy hwyr, Martha fach, rhy hwyr.

Mae e'n dechrau brasgamu i fyny'r lôn, ond mae Martha'n ei ddilyn.

– Rhys, paid â mynd! Fan hyn wyt ti'n perthyn! Fan hyn wyt ti fod!

– Rhy hwyr, wedes i!

Mae'r gwartheg yn cynhyrfu wrth weld Rhys yn agosáu at glwyd Cae Canol. Prin y gellir clywed llais Martha dros eu brefu gwyllt.

– Pwy yw hi, Rhys? Ma'n rhaid i fi ga'l gwbod.

– Do's bosib bo' ti ddim yn gwbod! Ti, o bawb, sy'n gwbod popeth! Ond 'na fe, so ti'n gwbod dim amdana i ne' fyddet ti wedi sylwi. Fyddet ti wedi sylwi mor hapus wy 'di bod 'ddar iddi ddod 'ma.

Y glatshen olaf.

– Mavis?

– Ie, da iawn, Martha. Marce llawn i'r gleferstics fach. Y'n ni'n caru'n gilydd, Mavis a fi. Wyt ti'n deall y gair 'na, Martha? 'Caru'?

A dyna ddiwedd ar bron i ugain mlynedd o briodas. Na, dim cweit. Mae gan Rhys un fwled arall yn ei ddryll.

– Godra'r da 'na, 'nei di?

Ymhen amser, fe fydd Martha'n cofio beth aeth drwy ei phen wrth ei wylio'n diflannu ar hyd y lôn. Y ffaith ei fod yn martsio. Clip-clap-clip-clap. Yn martsio allan o'i bywyd hi. Dim iwnifform, dim dryll, dim byd ond twtsh o ysfa fach filwrol. Clip-clap-clip-clap. Gadael popeth pwysig. Ei wraig a'i ferch, ei gartref a'i fywoliaeth, ei ardal enedigol, gwreiddiau. Clip-clap-clip-clap. Gadael popeth er mwyn rhyw slipen fach o *landgirl*. Un a gafodd groeso cynnes, megis un o'r teulu. Un yr oedden nhw'n ymddiried ynddi. A beth oedd ei diolch? Ffwrcho gŵr y tŷ. Ei thaflu'i hunan ato, gwneud ffŵl ohono, gwneud ffŵl o bawb. Clip-clap-clip-clap. Ble fuon nhw wrthi, tybed? Yn y beudy, yn y caeau, yn y tŷ? Yn y gwely yn y bedrwm fowr? Clip-clap-clip-clap. Mynd. Gadael popeth – hyd yn oed ei iwnifform a'i ddryll.

*

123

> – Ma' Rhys Ffynnon Oer
> Wedi'i neud hi nawr!
> Ca'l 'i ddala 'da *landgirl*
> A'i drowser lawr!

Mae siantio creulon a hen chwerthin sbengllyd y plant yn dal i atseinio drwy ben Meri. A dyw breichiau ei mam amdani ddim yn lleddfu'r boen.

– O'n nhw i gyd yn gweiddi a wherthin a chanu'r hen gân 'na. Fe ddechreuon ni ymladd â nhw. Fe hwpodd Charlotte Ianto Bryn i'r ffos, a fe roiodd Olwen ffustad i Tomos Llain nes bod y bapa mam yn llefen y glaw.

Rhyfedd o fyd, meddylia Martha. Diolch byth nad yw Ianto Bryn wedi clywed dim o hanes lliwgar ei deulu ei hunan. A does dim angen mynd ymhellach na'r Llain am sgandals diddorol iawn.

– Ond o'dd beth o'n nhw'n weud yn wir, on'd o'dd e? Ma' Dat wedi mynd 'da Mavis. Dim wedi mynd i ddysgu bod yn *Home Guard* ma' fe, fel wedodd Mam-gu.

– Treial helpu o'dd Mam-gu.

Ie, 'treial helpu'! Drwy bentyrru celwydd ar ben celwydd, fel arfer!

– Ond wyt ti'n hollol iawn, Meri fach. Wedi mynd bant 'da Mavis ma' fe.

– Bant am byth?

– Ie, bant am byth. Ma'n nhw'n caru'i gilydd.

Mae'r peth yn hollol anghredadwy i groten fach naw oed. Ei thad – a Mavis? Wedi mynd bant gyda'i gilydd? Yn caru'i gilydd? Beth sy'n digwydd? Mavis oedd mor neis. Mavis oedd yn sbort i gyd.

– Os yw Dat yn caru Mavis – odych *chi*'n caru rhywun arall?

Y cyfan a wna Martha yw cofleidio'i merch yn dynn, a sibrwd:

– Odw – *ti* . . .

*

– Jawl pen ffordd, angel pen pentan! 'Na chi Rhys Jones Ffynnon Oer i chi! Blaenor bach parchus yng Nghapel Brynarfor, yn ca'l 'i ddala yn 'gwely 'da *landgirl*!

– Ddangosith e mo'i wyneb yn yr ardal 'ma byth 'to!

– Na neith, glei! Jawch, ma'r hen ryfel 'ma'n ca'l effeth, on'd yw e?

– Beth s'da'r rhyfel i neud â beth s'da Ffynnon Oer rhwng 'i goese?

– Gwendid yw e. Ma' fe yng ngwa'd ambell un.

– Teimlo dros 'i wraig e odw i.

– A'r groten fach. Naw oed yw hi – 'run *class* yn 'rysgol â Tomos ni.

Mae David Davies yn dianc o'r siop heb i neb sylwi. Fe glywodd e hen ddigon.

*

Un a gafodd hen ddigon yw Esther Jenkins. Mae'r sgandal ar led fel tân drwy eithin, a does dim y gall hi ei wneud heblaw bod yn gefn i Martha a Meri. Ond mae bywyd yn anodd, a gwaith y ffarm wedi trymhau. Ac ar ben y cyfan mae'r Italians a anfonwyd o'r camp mor dwp ag asyn Oernant slawer dydd, yn deall dim ar ffermwriaeth, yn siarad dim Cymraeg a fawr ddim Saesneg. Mae *hi*, hyd yn oed, yn gallu bracsan mwy na nhw.

– *Come on now, Primo and Steffano. Get cows in cowshed. I say them where to go. Like this.* Post-le! Post-le! *They* . . . Ma'n nhw'n 'y neall i . . . Jawch eriôd, *don't look at me so* twp! Post-le! Post-le!

– *Che sta dicendo?*

– A 'sdim iws i chi siarad hen Italian 'da fi! Post-le! Post-le!

– *Pows-le!*

– *Very good, Primo! Now send them in and put them* sownd!

– Post-le! Post-le!

– *Bene, Steffano, bene!*

– *Gratzie, Primo, gratzie!*

– Seren fach, wy'n whys drabŵd fan hyn! Beth 'na'i â nhw, gwed?

*

– *My good friend, Isaac, how do you say 'three score years and ten' in Welsh?*

– Oed yr addewid. *The promised age.*

– *Yes, today I have been given that which has been promised by the Almighty God.*

– *And you've a long way to go yet, Isaac bach!*

– *It's one day at a time for Isaac Cohen . . .*

– Un dydd ar y tro yw hi i ni i gyd.

– *And how are you, Daniel Jenkins?*

– *Well, Isaac, well. Timothy 'ere keeps me going.*

– *He's a happy little man.*

– *'Appy as the day is long, our Tim.*

– *And how is Charlotte?*

– *Enjoying life down on the farm. And speaking Welsh like a native!*

– *Good girl . . .*

– Dat, cymrwch Timothy 'newch chi? Ma'n rhaid i fi fynd.

– So ti'n dod i'r – ti'n gwbod?

Mae Isaac Jenkins yn gafael yn ei ŵyr o freichiau Dan, yn roi winc fawr ac yn nodio'i ben i gyfeiriad y Dairy.

– Odw, nes mla'n. Ma' 'bach o waith 'da fi neud gynta yn Old Compton Road. Trafod y ddêl ddiweddara. Ond wy 'di addo i Jen y bydda i'n ôl mewn awr. *See you, Isaac. I've got some business to settle.*

– *Business, business – when are you going to stop?*

– *When I'm a millionaire, like you!*

Cusan i'w fab, ac mae Dan yn neidio i'w gar ac yn gyrru i ffwrdd.

– *He's a good boy, is your Daniel. Now then, my friend, show me this harmonium.*

– *This way, Isaac* bach, *this way . . .*

Ym mharlwr cyfyng y Dairy mae Annie a Jennifer yn aros i'r dynion gyrraedd. Mae'r ford yn llwythog â danteithion rhyfeddol, o gofio'r anawsterau, a'r ddibyniaeth ar docynnau *rations* ac ar laeth powdwr a marjarîn. Ond mae 'na ham a menyn a wyau ffres o Ffynnon Oer, peth o'r llwyth a gariodd Dan o'i ymweliad diweddaraf.

Fe gaiff Cohen dipyn o syndod o weld y wledd – a'r gannwyll sydd ynghyn ar ben y gacen-eisin fawr. Fe gaiff fwy o syndod fyth o glywed pawb yn dechrau canu 'Pen-blwydd Hapus' iddo i gyfeiliant Annie ar yr harmoniwm – ac yntau dan yr argraff iddo gael ei wahodd i brisio'r offeryn ar gyfer ei werthu!

– *Well, you old devils!*

Gwena'n hapus ar ei gymdogion, ar ei gyfeillion pennaf, y bobol y mae'n eu hystyried yn deulu iddo, yr unig deulu sydd ganddo bellach heblaw am frawd a chwaer-yng-nghyfraith yn Prague nad oes cysylltiad wedi bod â nhw ers blwyddyn . . . Rhaid peidio â suddo i feddyliau melancolic. Mae 'na barti wedi'i baratoi ar ei gyfer. Rhaid chwythu'r gannwyll a'i chynnau a'i hailgynnau droeon, er mwyn i Timothy gael ei diffodd dro ar ôl tro. Ac mae'r crwtyn bach yn chwerthin, ac yn chwerthin eto, yn corco chwerthin dro ar ôl tro ar ôl tro, nes peri i bawb arall chwerthin.

– *Once he starts laughing, he can't stop!*

Mwy o chwerthin, ac yna, fel cnul yr eglwys, mae grŵn y seiren yn torri ar draws yr hwyl. Mae hi'n canu'n gynnar heno.

– Drato!

– *Trust Mr Hitler to spoil a party!*

– *We haven't had time to prepare the tea urn for the shelter!*

– *Never mind. Come on!*

Does dim i'w wneud ond ufuddhau i'r alwad a mynd am y lloches. Mae Jennifer yn gwisgo'i got am Timothy.

– *Where do Tim and I go?*

– *Tad-cu will take you, love.*

– *I hope Dan will be all right.*

– *He'll have found somewhere, don't you worry.*

Fydd neb byth yn gwbod beth yn union ddigwyddodd. Ai dod 'nôl i'r Dairy i moyn rhwbeth wnaeth Isaac Jenkins? Peth o'r bwyd, falle? Neu ei got fawr? Ai disgwyl amdano ar y stryd yr oedd Jennifer, a Timothy yn ei breichiau? A beth oedd rheswm Annie dros beidio â mynd yn syth i'r lloches?

Y cyfan y mae Isaac Cohen yn ei gofio yw croesi'r ffordd yn ara bach i'w siop yn ôl ei arfer gydag Annie, a hithau'n ffysian yn garedig, yn ôl ei harfer, wrth wneud yn siŵr ei fod yn ddiogel o dan ei ford fawr dderw.

– *You really should come with us to the shelter.*

– *My old oak table is safer than houses!*

Y sgwrs a'r jôcs arferol. Y ffarwelio arferol.

– *See you later, Isaac!*

Y grŵn bygythiol arferol yn cynyddu uwchben Llundain, yr awyrennau fel adar ysglyfaethus yn chwilio am eu prae, a'r gynnau amddiffynnol yn tanio'n gecrus atyn nhw. Ffrwydrad ar ôl ffrwydrad yn y pellter, ambell un yn nes, ambell un yn agos iawn.

Yn sydyn mae sŵn fel uffern dân yn dadfeilio yn llenwi clustiau Cohen. Mae ei fyd yn dymchwel o'i gwmpas, y cyfan yn ysgwyd i'w seiliau. Fe deimla boen yn ei ben.

Ac yna, dim.

*

– *Amico o nemico?*

Mae Steffano'n syfrdan. Ydy Primo wedi colli'i bwyll yn lân? Sut a ble y cafodd afael yn y dryll y mae'n ei bwyntio tuag ato? Ond yn fwy na hynny, ydy'r dryll wedi ei lwytho?

– *Primo! Non fare lo schemo!*

Mae'r twpsyn diawl yn dal i bwyntio'r dryll a gwenu fel gwallgofddyn. Ond yn sydyn fe anela at y ceiliog sy'n pigo'n jocôs o flaen y sièd wair.

– *Bang! Bang!*

Ac yna chwerthin afreolus sy'n peri i'r hen geiliog hopian gam neu ddau ac ysgwyd ei adenydd.

– *Idioto, Primo!*

Mae Primo yn ei ddyblau. Ond fe dawela'n sydyn wrth glywed llais y bòs.

– *Primo! You give* dryll *to me – at once!*

– *Sorry, Meesees Jenkeens . . .*

– Sori, wir! Whare plant yw hyn!

Dyw hi ddim yn ychwanegu bod perchennog y dryll wedi gwneud ei siâr o chwarae plant. Ei fod wedi gweld y chwarae'n troi'n chwerw iawn. Dyw hi ddim yn gofyn ymhle y cafodd Primo afael yn y dryll.

– Ych a fi! *This* dryll – dansherus! *Bad*!

Rhan o eironi diddorol bywyd yw llwybrau'n croesi blith draphlith ar adegau tyngedfennol. Y funud hon mae Esther yn ymwybodol mai dryll Rhys sydd yn ei dwylo, ei fod wedi ei guddio cyn mynd i'r hostel i weld Mavis y noson ofnadwy honno, a bod Primo wedi dod o hyd iddo. Fe ŵyr yn iawn mai dial ar Martha am ei hanffyddlondeb gyda'r 'boi o Donypandy' oedd sylfaen perthynas Rhys â Mavis. Ond dyw hi ddim yn nabod David Davies o ran ei weld.

A dyma fe, yn sefyll o'i blaen ac yn gwenu arni.

– Mrs Jenkins?

– Ie. A pwy y'ch chi?

– Davies yw'r enw. Digwydd mynd heibo ceg y lôn, a gweld y defed.

– Pwy ddefed?

– O'n nhw wedi torri mas o'r cae.

– Primo! Steffano! Wedoch chi bod y bwlch yn saff! *Sheep are gone! Go after sheep!*

– Na, na, fe hales i nhw'n ôl i'r cae a chau'r bwlch cystal ag y gallen i. Ond ma' isie ffenso'n iawn.

– Ond dyw'r ddou bwdin didoreth 'ma ddim yn gwbod ble ma' dechre! A shwt alla i weud wrthyn nhw a'n Sysneg i mor brin? 'Na fe, wedes i ddigon! Dou Italian y'n nhw yn 'diwedd! Mr Davies bach, beth odw i'n mynd i neud?

Mae 'Mr Davies bach' yn ymdrechu i reoli'i chwerthin. Hen wraig yn sefyll â dryll yn ei llaw yn pregethu wrth ddau Eidalwr ifanc sy'n amlwg yn ei hofni hi'n fwy nag y maen nhw'n ofni byddin Lloegr. Ac ar ben y cyfan mae'r hen wraig yn debyg iawn i'w merch. Yr un osgo heriol, yr un llygaid tywyll yn fflachio yn ei thymer. Ie, dyma Martha ymhen ugain mlynedd.

Eironi pellach yw bod 'Mr Davies bach' yn siarad rhywfaint o Eidaleg.

– Gadwch hyn i fi, Mrs Jenkins. *Primo, vai, prendi il martello.*

– *Bene l'Italiano!*

– *Sì! Viene con me!*

Diolch i'r Giovannis, ei gymdogion yn Kenry Street, a'r oriau a dreuliodd yng nghaffi'r Sidolis ar sgwâr Y Pandy, mae ganddo ddigon o Eidaleg i dwyllo Mrs Jenkins, os nad y ddau Eidalwr, ei fod yn rhugl. Diolch i'r defaid crwydrol, mae ei gynllun yn gweithio'n dda . . .

Cynllun? Gan bwyll nawr, David Davies! Hanner awr yn ôl, ei unig 'gynllun' oedd ceisio magu plwc i gerdded lawr y lôn at

Ffynnon Oer. 'I beth?', yw'r cwestiwn amlwg, ac yntau wedi addo cadw draw. Wel, onid yw'r sefyllfa wedi newid, a'r sgandal fawr yn frith drwy'r fro? 'Gŵr parchus Ffynnon Oer wedi jengyd – gyda hwren fach o *landgirl!* Beth ddaw o'i wraig a'i blentyn, druen bach? Beth ddaw o'r ffarm heb ddyn i'w rhedeg?'

Hanner awr yn ôl, ac yntau'n sefyllian wrth geg y lôn, fe sylweddolodd David Davies o Donypandy nad oedd dewis ganddo. Roedd yn rhaid iddo alw heibio, er na fyddai Martha yno.

Mae'r cwestiwn 'pam' yn dal i hofran. Ac mae'r ateb yn hollol amlwg. Er mwyn cael rhyw gysylltiad, er mor fregus, gyda'i ferch, a chyda'r fenyw y mae'n ei charu.

Am ei fod yn ddyn sy'n glaf o gariad.

*

– Ma'n rhaid i fi fynd i Ffynnon Oer. Ma'n rhaid i fi fynd i weud wrth Charlotte.

Dweud wrth groten fach nad oes ganddi fam na brawd. *Dead,* Charlotte fach. *Killed.* A'i Dat-cu a'i Mam-gu wedi marw hefyd. *All dead,* Charlotte fach. *All killed.*

– Dan, 'na beth *fydd* hunlle.

Hunllef ar ben noson hir hunllefus. Saith corff o dan y rwbel. Dwy chwaer oedrannus, fusgrell a ffaeledig; yr hen drempyn mwyn a gysgai o dan bont y rheilffordd; hen ŵr a gwraig, ym mreichiau ei gilydd; a mam yn magu'i babi, ei chorff yn gorwedd drosto i'w amddiffyn rhag y gawod drom. Cerrig, concrid, gwydr yn eu boddi. Pump arall wedi'u hanafu, Isaac Cohen yn eu plith. Stryd yn sarn. Y Dairy'n domen. Gwaith oes yn llwch.

Fe fydd yn daith hunllefus, hir i Geredigion, i Aberaeron, i Frynarfor, i Ffynnon Oer – at Charlotte. Ac yna'r hunllef waethaf oll.

– *My baby, you have to be very brave . . .*

Y moch. Y blydi moch.

*

– *Rhondda? Si! Italiani Rhondda – tutti da Bardi! Come me! Gambarini, Baccheta, Sidoli!*

– *Gelati Sidoli! Mama mia!*

Byddai hufen iâ rhyfeddol Sidoli'n dderbyniol iawn gan dri a fu'n gweithio'n galed drwy'r prynhawn. Mae'r bylchau yng nghlawdd Cae Canol yn saff, y tyrchu a'r taro, y staplo a'r tynnu wedi dod i ben, ac mae'r tri gweithiwr yn barod am eu te.

Mae David Davies yn rhyfeddu at ei ewndra a'i haerllugrwydd rhemp ei hunan. Cael te ar aelwyd Ffynnon Oer? Derbyn croeso gan fam Martha? Oni fyddai hynny'n anfaddeuol?

Ond rhwng bracsan ei Eidaleg, dysgu ambell air bach Saesneg a Chymraeg i'r ddau garcharor, a gwrando ar eu straeon enbyd, mae'r boi o Donypandy wedi bod yn meddwl. Doedd dim bwriad ganddo i aros cyhyd â hyn. Galw heibio gan wisgo mantell dieithryn, dyna oedd y 'cynllun'. Cael pip fach rownd y lle; siarad â'r hen wraig; pysgota ynglŷn â'r hanes diweddaraf; gweld sut yr oedd y gwynt yn chwythu. Ond fe aeth cymwynas yn waith teirawr. Fe gafwyd gwahoddiad. Mae'n rhaid dod i benderfyniad. Ymuno â theulu Ffynnon Oer dros de, neu ddiflannu megis cysgod? Fe fydd Martha'n siŵr o gyrraedd cyn bo hir. Gallai pethau fynd yn ddrwg.

Rhy hwyr. Mae ei char yn troi i mewn i'r lôn, Meri'n eistedd yn y sedd flaen a Charlotte ac Olwen yn y cefn. Mae'r olwg syfrdan ar ei hwyneb wrth ei weld yn dweud y cyfan. Rhaid achub y blaen ar ei syndod.

– Shwmai! Davies yw'r enw. A chi yw Mrs Jones, ontefe? O'dd isie help llaw i gau'r bwlch. Y defed yn golledig!

Fflach o'r llygaid tywyll yw ei hunig ateb. Llygaid tywyll sy'n syllu arno o'r sedd flaen hefyd, ond eu bod yn llawer mwynach ac yn fwy diniwed.

– A *Miss* Jones y'ch chi, ontefe?

– Ie, shwt y'ch chi'n gwbod?

– Am 'ych bod chi'n debyg i'ch mam.

Wrth wylio gwên fachgennaidd ei chyn-gariad, mae'r iâ a daenodd Martha'n haenen drwchus drosti ers blynyddoedd yn dechrau toddi. Ond dyw hi ddim yn dangos hynny iddo.

*

– Siwgwr, Mr Davies bach?

– Diolch.

– Dim ond llwyed, cofiwch! Er bo' chi'n haeddu mwy! Gan bwyll, Steffano! *Three spoons too much!* Nawrte, Charlotte, byta'r crwstyn 'na i gyd, er mwyn i ti ga'l cyrls. Meri! Cer i moyn y caws. Martha, rho fwy o ddŵr yn y tebot.

Does dim byd wedi newid, meddylia Martha. Yr un rigmarôl cysurlon, digyfnewid. Dyw rhyfel mawr na phriodas a ddaeth i ben ddim yn newid hen, hen drefn. Fel hyn y bydd hi byth. Pobol newydd yn eistedd wrth y ford, bord newydd, falle, ond yr un hen drefn. Yr un arferion a chonfensiynau, yr un mân reolau, yr un hen sgwrs.

Go brin. Mewn canrif arall, ganol y mileniwm newydd, fydd 'na deulu'n eistedd yma yng nghegin Ffynnon Oer? Pwy fyddan nhw? Rhai o'r hen linach – ei gorwyrion – ynteu dieithriaid llwyr? Fydd yma rywun? Neu neb o gwbwl? Fydd yr hen gymdeithas wedi mynd am byth, a phawb a phopeth wedi'u chwalu'n sarn? Neb yn Ffynnon Oer. Dim Ffynnon Oer! Dim bord dderw, dim dresel fawr, dim cloc yn taro'r awr.

Ond y funud hon sy'n bwysig iddi nawr. Chwerthinllyd, ynteu affwysol drist, yw'r darlun sydd o'i blaen? Ei chyngariad, tad ei phlentyn, y bwgan mawr a yrrodd Rhys i'r pen eithaf oll, yn eistedd fel un o'r teulu yr ochor draw i'r ford. Wrth ei ymyl mae ei ferch – eu merch – yr un a genhedlwyd ddyddiau cyn i'w perthynas ddod i ben. Roedd Meri yn ei chroth y diwrnod hwnnw ar lan yr afon, a hithau â'r wyneb ganddi i bregethu am bwysigrwydd gwreiddiau, priodas, teulu, tylwyth – haniaethau oll. Roedd hi'n feichiog â phlentyn anghyfreithlon pan fynnodd na allai gefnu ar y cyfan hyn.

Gall glywed ei 'Cer i'r jawl!' y funud hon. Ond fe waeddodd rywbeth arall hefyd, drwy ei ddagrau. Fe waeddodd 'Wy'n dy garu di!'. Ac yna fe gerddodd bant, heb ei chlywed hithau'n sibrwd, 'A finne tithe'.

Dyw hi ddim yn mentro edrych arno, ond fe wŷr yn iawn beth yw ei gêm. Bod yn y canol rhyngddi hi a Meri. Cadw llygad arni rhwng siarad â Meri a pheri iddi chwerthin. Disgwyl ei gyfle i ddal ei llygad ar eiliad wan. A neb yn gwybod dim.

– Martha! Wyt ti'n breuddwydo, groten? Fe ofynnes i ti roi mwy o ddŵr yn y tebot.

Mae llygaid David Davies yn ei gwylio'n diflannu i'r gegin mas.

– Nawrte, Mr Davies bach. Ma' 'da fi gymwynas fowr i'w

gofyn. Gwedwch 'Na' os y'ch chi'n moyn, ond do's dim drwg mewn gofyn.

Mae Martha'n clywed popeth o'r gegin mas. Mae angen cywiro ffens Cae Pella. Fe syrthiodd dafad dros y clogwyn ddoe, ac fe fydd mwy o'r twpsod yn ei dilyn os na wneir y bwlch yn saff. Fe fyddai'n cael ei dalu, wrth gwrs . . .

– Cymwynas, Mrs Jenkins!

– Fel prynhawn 'ma! Y'ch chi'n ddyn caredig iawn.

– 'Sdim byd i'n rhwystro i rhag mynd nawr, ar unwaith. Ma'r dydd yn dechre tynnu miwn.

– Fe geith Martha fynd â chi.

Mae'r wên ar wyneb David Davies pan ddaw Martha'n ôl i'r gegin yn un o fuddugoliaeth.

*

– 'Gwyn eu byd y rhai sydd yn galaru, canys hwy a ddiddenir'.

– Da iawn ti, Charlotte, ond fydd isie mwy o lais yn y capel. Nawrte, Olwen.

– 'Gwyn eu byd y rhai addfwyn, canys hwy a etifeddant y ddaear'.

– Gwd – ond paid â mynd ar gymint o ras! Nawrte, Meri . . .

Un edrychiad ar Meri ac fe sylweddola Esther nad oes hwyl dweud adnod arni heno. Mae hi'n groten fach sydd angen cwtsh. Dyw ei mam ddim ar gael, a'i thad – wel, does dim dal ble mae'r cythrel erbyn hyn. A beth bynnag, fe yw rheswm digalondid y groten fach.

Ar ôl i ferched Llunden fynd i'r llofft, mae Esther yn cofleidio Meri.

– Ti'n iawn, Meri fach?

– Nagw. Wy'n colli Dat. Ble ma' fe, Mam-gu?

– Wy ddim yn gwbod, Meri fach. Wy ddim yn gwbod . . .

*

– 'Na fe, bwlch arall wedi'i gau.

– Yn saff, gobeitho.

– Yn hollol saff. Chollwch chi ddim dafad arall.

– Gwd . . .

Sŵn y môr islaw, cylfinir yn chwibanu yn y pellter, pioden fôr a'i 'chli-cli' clir lawr ar draeth y Gilfach, ac ambell wylan benwaig yn dal i gylchu'n fusneslyd uwch eu pennau. A'r gwyll yn dechrau cau.

Fe fu Martha'n ei holi'i hunan ers bron i awr. Fe ddaeth hi yma gydag e i gyrion pell Cae Pella. Pam? Pam na fyddai wedi gwrthod? Pam na fyddai wedi dweud 'cer i grafu' wrtho a rhoi llond pen iddo am feiddio dod yn agos i Ffynnon Oer? Mae'r ateb, heb yn wybod iddi, yn y ffordd y mae hi'n edrych arno, heb yn wybod iddo, ac yntau'n ffusto'r pyst â'r ordd ac yn tynnu'r weiren bigog cyn ei chlymu'n sownd. Mae ei wallt lawr dros ei dalcen, mae pigau duon ar ei ên, blew du sydd ar ei freichiau ac o dan ei grys. Ond ei ddwylo sy'n rhyfeddol. Nid dwylo meddal athro ysgol y'n nhw bellach, na dwylo ymgyrchydd bach gwleidyddol cadair esmwyth. Dwylo gweithiwr y'n nhw, yn llawn creithiau, yn galed ac yn frown.

Nid dyma'r dwylo a'i hanwesodd y noson y cenhedlwyd Meri. Ond rhain yw'r dwylo y mae hi nawr yn ysu am eu teimlo ar ei chorff.

Mae angen cwtsh ar Martha. Dyna pam y mae hi'n dechrau casglu'r offer ac yn eu taflu i mewn i'r sach.

– Dere, David, ma' hi'n bryd i ni fynd 'nôl.

– Martha . . .

– Paid â gweud dim mwy. Do's dim byd mwy i'w weud. Dim nawr . . .

– Pryd 'te?

– Rywbryd 'to.

– Ti'n addo?

Mae hi'n oedi cyn ei ateb.

– Odw.

– Fe fydda i'n disgw'l amdanat ti, Martha. Ta faint gymrith hi.

Mae Martha'n gafael yn y sach o drugareddau ac yn cerdded ar draws y cae. Mae David Davies yn ei dilyn, y bar yn ei law a'r ordd yn drwm ar ei ysgwydd.

*

Mae perygl gwirioneddol i'r gobenyddion rwygo unrhyw funud ac i'r plu ddisgyn yn gawodydd. Mae hi'n frwydr ffyrnig, a

Charlotte ac Olwen yn taro'i gilydd am y gorau, gan syrthio'n bentwr o riddfan ac o chwerthin ar y gwely bob hyn a hyn. Eistedd yn eu gwylio y mae Meri. Does dim blas ar chwarae heno.

Sŵn car yn cyrraedd y clos sy'n dod â'r gêm i ben. Pip drwy'r ffenest, a bloedd gan ferched Llundain.

– Car Daddy sy 'na! *It's Daddy! Daddy!*

– A ma' Dat a Mam 'ma hefyd!

Mae Charlotte ac Olwen yn rhuthro i lawr y staer. Ymhen tipyn mae Meri yn eu dilyn. On'd y'n nhw'n lwcus, yn ca'l syrpreis bach neis fel hyn?

*

– *I can't see them, Daddy! I'm closing my eyes tight, I'm looking for them, but I still can't see them! And I want to see them! I have to see them, Daddy!*

Mae hi'n hunllef waeth nag yr oedd Dan wedi'i dychmygu. Roedd gweld ei hwyneb hapus gynnau'n ddigon drwg, pan redodd i'w groesawu, pan daflodd ei breichiau am ei wddf, pan ofynnodd ei chwestiwn anochel:

– *Where are Mummy and Timothy? Why have you left them behind?*

Roedd gorfod dweud y geiriau yn ei dagu, y geiriau roedd wedi eu hymarfer yr holl ffordd o Lundain, bob milltir o'r daith hirfaith.

– *My baby, you have to be very brave* . . .

Gafael yn ei llaw yn dawel, ei harwain ar draws y clos a mynd i eistedd yng ngwyll y berllan, o dan y goeden afal. A dweud ei neges erchyll wrthi.

A nawr gall deimlo'i chorff yn crynu yn ei gesail. Dau sŵn sydd i'w glywed, ei higian torcalonnus hi, a chân y ceiliog mwyalch yn herio'r tywyllwch.

– Ble ma'n nhw, Daddy? *Where's my mummy? Where's my little brother? The trick's not working!*

– *I'm going to teach you another one. I want you to open your eyes* . . .

– *But you said* . . .

135

– I know. But things have changed, all changed . . . Nawrte,
agor dy lyged . . . Edrych draw yn bell, i ben pella'r berllan.
Beth wyt ti'n 'weld?
   – Dim byd.
   – Cwyd dy lyged draw dros y clawdd. Beth wyt ti'n 'weld
nawr?
   – Dim byd! *Only bloomin' clouds!*
   – Yes you can! You can see some stars peeping at us! Look!
Ti'n gweld y seren 'na lan fanna? A honna, draw ymhell? Hisht!
Wyt ti'n clywed rhwbeth?
   – Na . . .
   *– Yes you can! You can hear the blackbird! You can hear the
breeze in the branches! I'm not sure, but I think I can hear the
sea* . . .
   – I *can't* . . .
   – Aros funud! Wy'n galler clywed rhywbeth arall!
   – Beth?
   – Sŵn wherthin! *Listen! Over there! Or is it over there? Or
maybe over there, I'm not sure* . . .
   – Who is it?
   – I think I know. Yes! I think it's Timothy! Ie, fe yw e! Ti'n 'i
glywed e? Ma' fe'n wherthin arnat ti! O, 'na hi, nawr! Ti'n
gwbod beth sy'n digwydd unweth ma' fe'n dechre wherthin!
   – Ma' fe'n ffaelu stopo!
   – Yn gwmws!
   – A wedyn fydda *i*'n ffaelu stopo!
   – A fe fyddwn ni i gyd yn wherthin a ffaelu stopo! Ti a fi . . .
   – And Mummy . . .
   – Pawb yn wherthin a ffaelu stopo!
   Mae hi'n anodd iddo siarad drwy ei ddagrau. Ond mae'n
rhaid dweud un peth arall. Un peth arall wrth ei chwtsho'n
dynn.
   – Paid byth â stopo wherthin, Charlotte fach. Addo i fi, paid
byth â stopo wherthin.

*

GORFFENNAF, 1945

Edrychwch ar y llun. Roedd hi'n ddiwrnod braf o haf, yn ddiwrnod perffaith i gywain gwair Cae Pella. Pawb â'i bicwarch oedd hi, 'cyrch y picwerchi', chwedl Waldo, y cymdogion, yn ôl eu harfer, wedi dod ynghyd i helpu, y llwyth yn cynyddu y tu ôl i'r Fforden fach, a'r te wedi'i baratoi.

Meri oedd y ffotograffydd, â'r camera bocs a gafodd yn anrheg pen-blwydd gan Rhys. Drwy fynnu ufudd-dod i'w gorchmynion, fe lwyddodd i groniclo diwrnod hanesyddol i deulu Ffynnon Oer.

Diwrnod dychweliad Ifan Bach.

– Dewch i gael tynnu'ch lluniau!

Llun ar ôl llun o'r cyfarch a'r cofleidio, y cusanu a'r ysgwyd llaw.

A'r llun yma.

Mae Enoc yn y cefndir, draw wrth y llwyth gwair, rhwng William Oernant a Walter Bwlch. Ianto Bryn yw'r crwtyn bach, wedi'i esgymuno o'r llun gan Meri, am nad yw'n 'un o'r teulu'. Ond fe fynnodd gael ei big – a'i bicwarch – i mewn i'r ffrâm!

Mae Steffano'n gwenu'n ansicr, braidd, y profiad o ysgwyd llaw ag Ifan wedi cael effaith ryfedd arno. Dau gyn-filwr, dau gyn-elyn, yn ysgwyd dwylo! *Bene! Bene!* A Steffano'n cyhoeddi, fel petai i'r byd:

– *War no bloody good!*

Gallech ddadlau nad oedd yntau'n 'un o'r teulu', chwaith, ond hwn oedd ei unig 'deulu' erbyn hyn. Doedd fawr neb ar ôl yn Bardi, neb o'i deulu agos, ychydig iawn o'i ffrindiau a'i gyfoedion. Yr unig lythyr a dderbyniodd ers blynyddoedd oedd hwnnw gan hen gymdoges yn cadarnhau na welwyd mo'i rieni na'i chwaer fach ers deunaw mis a mwy pan godon nhw eu pac yn sydyn a diflannu. Na, yn wahanol i'r hen Primo, a ddychwelodd at ei wraig a'i blentyn bach ar y cyfle cyntaf posib, doedd dim brys mynd yn ôl i Bardi, dim â chroeso

Ffynnon Oer mor gynnes, dim a'r ardal gyfan wedi ei gofleidio. Ac onid oedd yntau wedi ei chofleidio hithau? Oni ddysgodd ei hiaith? Oni syrthiodd mewn cariad ag un o'i merched?

Mae'r crotesi bach yn gwenu'n ddigon hapus. Merched bach? Roedd Olwen a Charlotte yn ferched ifainc erbyn hyn, yn *'young ladies'*, chwedl Esther. Newydd gyrraedd ar ei gwyliau yr oedd Olwen, ac wedi bod yn 'dala lan â'r hanes', gan na welodd ei chnitherod ers y Pasg. Roedd hi'n falch o fod 'nôl yn Ffynnon Oer, a fu'n gartref iddi am dair blynedd. Roedd hi'n falch o gwmni ei chnitherod, yn falch o gael dianc rhag y sŵn a'r mwg yn Llundain, rhag tawedogrwydd parhaol ei thad ac wyneb trist ei mam.

Pwy feddyliai? Ar y diwrnod hanesyddol y bu disgwyl mawr amdano ers blynyddoedd, y dydd y cyhoeddwyd heddwch yn Ewrop, y dydd pan oedd y baneri'n cyhwfan, y bandiau'n chwarae a'r partïon stryd ar eu hanterth, fe gyrhaeddodd y teligram anochel *'We regret to inform you . . . '* Alun wedi'i ladd. Dathlu a galaru yr un pryd. Eironi gwatwarus bywyd, a hwnnw'n pefrio'n llachar yng nghanol gofid a marwolaeth. A doedd byth dim sôn am Edwin. Doedd ryfedd yn y byd i Lizzie suddo i bwll diflastod ac anobaith, er gwaethaf ymdrech feunyddiol John i godi'i chalon â'i *'No news is good news, Lizzie fach.'* Yr unig newyddion da i Lizzie yn sgil y fuddugoliaeth fawr, fyd-eang, yng nghanol y gobaith newydd ac optimistiaeth ymddangosiadol pawb o'i chwmpas, oedd dychweliad Olwen, yn fyw ac yn iach ac yn llond ei chroen, o Ffynnon Oer.

Ond doedd pethau ddim yn hawdd i Olwen. Croten fach a dreuliodd flynyddoedd yn y wlad yn gorfod ailddygymod â bywyd yn y ddinas. Newid ysgol unwaith eto, adfer perthynas, meithrin cyfeillgarwch newydd, a'r cyfan hyn dan gysgod iselder dwfn ei mam a diymadferthedd llwyr ei thad. Doedd dim rhyfedd ei bod yn dewis treulio'i gwyliau ar eu hyd yn Ffynnon Oer.

Roedd Charlotte wedi dewis aros, a Dan wedi cytuno. Byddai ei llusgo'n ôl i Lundain wedi agor yr hen glwyf. Yn ystod un o'i ymweliadau mynych â Ffynnon Oer y cafodd Dan y 'syrpreis' aruthrol. Hen dun bisgedi ar y ford, a'r merched yn ei annog i'w agor ac i helpu'i hunan. Roedd ei lond o amlenni brown, a phob amlen wedi'i stwffio â phapurau pumpunt a degpunt, ac ambell bapur ugain punt. Doedd Sioni Moni ddim wedi dweud wrth neb.

– Steffano ffindodd nhw yn wal tŷ pair!
– *They're ours, Daddy!* Fe gei di brynu ffarm! Fe gei di ddod i fyw i'r wlad!
– *I don't think so, baby. I'm a city gent!*

Roedd Charlotte erbyn hyn yn fwy o 'un o ferched bach y wlad' nag ydoedd Meri. Fe dynnai ei phwysau ar y fferm – popeth ond lladd y mochyn! Ond roedd digon yn ei phen, fel Meri. Cystadlu'n gyson am fod ar ben y dosbarth yn y *County School*, cystadlu yn yr eisteddfodau lleol, a chystadlu am sylw ambell grwtyn bach golygus – dyna hanes y ddwy gyfnither fach yr adeg honno. A rhannu cyfrinachau mawr, bod yn gefn i'w gilydd drwy ddŵr a thân. Cael cwmni Meri ac Olwen fu achubiaeth Charlotte adeg marw'i mam a'i brawd. 'Y ddwy fach Llunden' a gysurai Meri'n gyson yn ystod yr adeg ddiflas y cefnodd ei thad arni a mynd i Donypandy.

A beth am Martha? Mae hi'n gwenu, yn ôl gorchymyn Meri. Ond gwên fach betrus yw hi, ac na thwyller neb ei bod yn hapus. Bythefnos ynghynt, efallai, fe fyddai'r wên wedi bod yn haws i'w chredu. Onid oedd hi, o'r diwedd, wedi llwyddo i ddatrys popeth? 'Ll.B.' ar ôl ei henw, gyrfa lwyddiannus, partneriaeth lawn â David Griffiths. Roedd hi'n gyfreithreg uchel iawn ei pharch, yn fenyw a lwyddodd mewn maes anhygyrch i fenywod. Roedd popeth wedi mynd o'i phlaid. Roedd hi'n 'gredit i ni i gyd', fel y byddai Esther yn dweud yn aml yn ei chefn, ond byth i'w hwyneb.

Yn fwy na hyn i gyd roedd hi wedi llwyddo i ddal ei phen yn uchel ar ôl y sgandal fawr. Hi lwyddodd i ennyn cydymdeimlad bro â'i hurddas a'i phenderfyniad. Hi oedd y wraig a gafodd gam, y fam a fyddai'n gorfod magu ei phlentyn yn ddi-dad. Hi fyddai'n well ei byd ar ôl i'w 'thipyn gŵr' ddiflannu gyda *landgirl* brin ei moesau. Erbyn hyn roedd ei 'thipyn gŵr' yn 'dipyn *gyn-ŵr*' iddi, ac yn dal i fod yn destun gwawd drwy'r ardal.

Tan yn ddiweddar, ei gofid mawr oedd Meri, y groten fach a gafodd siom ddisyfyd, ac a hiraethai am ei thad drwy holi a dannod a phwdu a gwylltio. A'r sarhad ar ben y cyfan – y diffyg cysylltu, y garden Nadolig, y garden pen-blwydd, a dim byd arall. Gweld Meri'n rhwygo'r cardiau cyfarch yn ddarnau mân; gweld y darnau wedyn yn y bocs bach tlysau a gafodd yn anrheg gan Steffano, wedi'u glynu'n ôl â phast; ei chlywed hi'n llefen; clywed Charlotte ac Olwen yn dweud ei bod yn llefen ei hunan i gysgu bob nos. Dyna a barodd i Martha, ryw flwyddyn yn ôl, ddod i benderfyniad mawr.

Feddyliodd hi erioed y byddai'n gwneud y fath beth. Cerdded i mewn ar ei phen ei hunan i dafarn, menyw ar ei phen ei hunan, i'r Bridge Inn yn Nhonypandy! Twpdra neu wrhydri? Beth bynnag ydoedd, doedd ganddi hi ddim dewis. Yno y câi afael arno, meddai Mavis. Yno yr anelai bob nos oddi ar i bethau fynd yn ffradach rhyngddynt.

Roedd hi wedi dod i hyn. Rhys, o bawb, yn mynd i yfed cyn mynd adre i ymolch ac i newid o'i ddillad gwaith. Mavis, o bawb, yn siarad fel hen ffrind â Martha, yn datgelu cyfrinachau wrthi ar riniog ei drws, fel petaen nhw'n ddwy gymdoges. Sôn am gyffro cariadus yr wythnosau cyntaf. Ac yna 'Pethe'n dechre mynd yn rong'. Dim gwaith, dim arian, llai a llai o sbort. A Rhys yn 'dechre yfed fel pysgodyn, Mrs Jones'.

– A wedyn, y peth arall. Hwnnw ar ben y cwbwl, Mrs Jones.

– Pwy beth arall, Mavis?

– Chi'n gwbod, Mrs Jones . . .

Y cyfaddefiad mawr. Ei anallu i gael plant. Nad fe oedd tad 'y groten fach'.

– A wedyn, pethe'n dod i ben yn glou. Chi'n deall, Mrs Jones?

Roedd ganddi, bellach, fabi – hwnnw oedd i'w glywed yn sgrechen rywle yn y tŷ. Roedd babi arall ar y ffordd. Roedd ganddi ŵr da a chydwybodol. Hwnnw a waeddodd arni'n groch:

– *If you don't come an' sort this bloody baby out, I'll bloody kill 'im!*

– Rhaid i fi fynd nawr, Mrs Jones. Neis 'ych gweld chi. Cofiwch fi at Meri. A Mrs Jones – sori fowr am bopeth.

Gwynt chwys a chwrw yn y dafarn, a rhywbeth arall. Wynebau duon yn troi at Martha, gwefusau pinc yn gwenu arni, lleisiau cras yn gweiddi pethau anllad arni. A Rhys yn torri'i galon. Wedi colli popeth – hyd yn oed ei hunan-barch.

– Paid â'i weud e, Martha.

– Gweud beth?

– ''Na fe, wedes i ddigon. Wedes i taw fel hyn y bydde pethe'. Ond y jôc yw, Martha, o't ti'n iawn. O't ti'n berffeth iawn fel arfer, y gleferstics fach.

– Rhys . . .

– Gad lonydd i fi, Martha. Paid â dod ffor' hyn i wherthin am 'y mhen i. Cer o 'ma. Cer nôl i Ffynnon Oer. Cer gatre at dy deulu. A chofia fi atyn nhw i gyd.

Dri mis cyn tynnu'r llun, ar ddiwrnod ei phen-blwydd, fe gafodd Meri lythyr, un hir, diddorol a sgrifennwyd yn Reading Room y Workmen's Hall yn Nhonypandy.

– Llyfre? Paid â siarad, Meri fach! Ma'n nhw rownd i fi fan hyn i gyd. Homer, Shelley, Dickens, D.H. Lawrence, a boi o'r enw T.E. Nicholas.

Roedd wedi sefyll sawl arholiad. Ac wedi llwyddo. Roedd wedi cael dyrchafiad yn ei waith ac fe gâi un arall dim ond iddo lwyddo mewn arholiad arall.

– Ma'r cwbwl yn goleuo, Meri fach.

Fe ymddiheurodd am yr anhapusrwydd a achosodd. Roedd am iddi ddod i Donypandy i aros yn y tŷ bach teras yr oedd newydd ei brynu. Fe obeithiai y byddai'n tynnu lluniau da â'r camera yr oedd yn ei yrru'n anrheg ati. Roedd yn ei charu.

Ddeufis cyn tynnu'r llun fe ddaeth Meri'n ôl o Donypandy'n groten ddigon hapus.

Oedd, roedd pethau'n dod i drefn ym mywyd Martha, y pethau mawr, cyhoeddus. Ond beth am ambell beth a lechai yn nwfn ei chalon? Y pethau dirgel.

Beth am yr un peth dirgel hwnnw – ei chariad at y conshi?

Yr ateb, tan yn ddiweddar, oedd gwadu popeth, yn gyhoeddus, ar yr aelwyd ac iddi hi ei hunan. Llechen lân. Dim cysylltiad. Ei gorfodi i fynd yn ddigon pell o Geredigion; gwrthod ateb ei lythyron; gwrthod pob gwahoddiad ganddo i 'gwrdd i drafod'. Am dair blynedd. Er lles Meri. Er ei les ei hunan. Roedd ganddi ddigon o broblemau heb ei chlymu'i hunan â llyffetheiriau emosiynol.

Tan y diwrnod tyngedfennol hwnnw.

Llwybrau'n croesi. Cyfarfyddiad sydyn ac annisgwyl.

– Martha! Beth wyt ti'n neud 'ma?

– Gwaith.

– Yng Ngha'rdydd?

Ailgynnau'r fflam. Canhwyllau gwesty'r Royal yn taflu eu cysgodion ar ei gwên. Gwenu oherwydd y gwallt byr, brith, y sbectol gron, y siwt drwsiadus, brwdfrydedd heintus trefnydd newydd y Blaid Lafur.

– Ma' fe'n gyfle mowr! Fe fydde ennill y lecsiwn 'ma yn ddechre newydd! Ffusto'r Toris! Ma'r dyfodol yn 'yn dwylo ni!

– O's gobeth i chi ennill?

– 'Chi'? O't ti'n un ohonon ni! Paid â gweud bo' ti'n hen Liberal fach ddiflas erbyn hyn!

– Falle taw Plaid Cymru geith 'yn fôt i!

– Wasto pleidlais fydde hynny. Er bod bois da 'da nhw, fel hwnna sy'n y Rhondda.

Gwenu ar ei wên fachgennaidd. Gwenu wrth iddo wasgu ei llaw. Gwenu wrth i'w ddwylo gwpanu ei hwyneb yng ngolau'r fflamau. Ei ddwylo meddal . . .

Misoedd o ailgynnau'r fflam. Yn y dirgel ar y dechrau. Rhag i dafodau glebran. Rhag peri loes. Y fflam yn ffynnu, yn tyfu'n dân o gariad newydd, cynlluniau newydd, gobaith newydd.

– Dou beth fydde'n 'y neud i y boi hapusa'n y byd. Y Blaid Lafur yn ennill yn y Lecsiwn. A ti a fi'n dod 'nôl at 'yn gilydd.

– Troi'r cloc 'nôl.

– Symud mla'n fyddet ti, Martha! Wynebu sialens! Mynd o dwll-tin-byd Aberaeron! Dod i Ga'rdydd, ata i. Fan hyn ma' dy ddyfodol di. Ni yw pobol y dyfodol. A gyda llaw, wy'n dy garu di. Ar ôl yr holl flynydde, wy'n dy garu di'n fwy nag eriôd.

Ac yna'r siom.

Bythefnos cyn tynnu'r llun, roedd trefnydd y Blaid Lafur a'i gydweithwyr yn dathlu eu buddugoliaeth fawr, ysgubol. Fe wireddwyd eu breuddwydion. Roedd dyfodol newydd, a phob ystrydeb arall, ar y gorwel.

Doedd Martha ddim yn rhan o'r dathlu. Doedd hi ddim yn rhan o'r dyfodol newydd. Doedd ganddi hi ddim i'w wneud â dyfodol disglair, arfaethedig David Davies.

Roedd hi'n neb.

Roedd hi'n neb a gyrhaeddodd y dathliadau'n annisgwyl. Syrpreis bach neis i'w chariad. Ac i'w gariad newydd.

– Martha! Beth wyt ti'n neud 'ma?

A'r fflam, a losgodd yn rhy hir, yn diffodd. Gwên dwyllodrus yw gwên Martha.

Gwên agored yw gwên Jane. Gwên wyrthiol. Haul o wên. Pwy feddyliai nad oedd wedi gwenu am flynyddoedd? Iddi fod mewn carchar o ddiflastod? Ond doedd neb yn sôn am hynny erbyn hyn. Roedd y tywydd garw wedi cilio. Fe ddaeth Jane yn ôl. Jane wahanol, un fach ofnus ac ansicr ar y dechrau. Un a gâi ei drysu'n hawdd, a'i dychryn. Un a gâi ei siomi'n aml. Un a âi i guddio ar yr esgus lleiaf. Ond fe'i hymgeleddwyd gan ei theulu. Fe'i tynnwyd o'r tywyllwch.

Mae hi'n saff rhwng Martha a Steffano. Martha gref, synhwyrol; Steffano cryf, caredig. Steffano a ddysgodd iddi siarad.

– *Ti*'n dysgu Cymra'g i fi. *Fi*'n dysgu *Italiano* i ti!

A Jane yn gwenu am y tro cyntaf. Ac Esther yn diolch iddo.

– *Prego, Meesees Jenkins, prego.* Jane, gwed wrth Meesees Jenkins, beth yw 'diolch' yn Italiano?

– *'Grazie'* ...

– *Bene! Bene!*

A Jane yn gwenu eto. A'r hen wraig, ei mam, yn gorfod troi i ffwrdd â dagrau yn ei llygaid.

Esther Jenkins, ar bwys ei ffon, yn gwenu gwên fach letchwith, fel petai hi'n ymwybodol o'r olwg ddoniol sydd arni, â chap stabal Steffano ar ei phen.

– Tïpyn bach o sbort, Meesees Jenkins!

– Gad dy ddwli dwl, Steffano!

Ond mae hi wrth ei bodd. Hen wraig ar drothwy oed yr addewid, a chanddi reswm da, o'r diwedd, dros wenu. Cynifer o deulu ganddi gartref, cymaint o atgofion yn ei chalon. Diolch i Robert Roberts, a'i arian hael i Jane, mae Ffynnon Oer yn saff. Ac yn goron ar y cyfan, mae braich Ifan Bach amdani.

Ac mae'r gwair yn gras.

Ifan Enoc Jenkins.

Staff Officer Evan Enoch Jenkins.

– We'll miss you, Sir.

Taffy Jenkins.

– Keep in touch, Taff.

Sut wên sydd ganddo yntau? Un gymysglyd, ddryslyd. Chafodd e ddim amser i gael ei wynt nac i newid ei ddillad nac i feddwl dim am ddim, heb sôn am drefnu'i wên. Ond roedd yn falch cael bod gartre. Yn falch o'r croeso cynnes. Yn falch o'i benderfyniad i ddychwelyd.

A'r *de-mob* ar y gorwel, roedd angen amser arno. I feddwl. I glirio'i feddwl. I drefnu ei ddyfodol. I roi trefn ar ei gynlluniau a'i ddyheadau. I ddefnyddio arian mawr ei dad. I wneud rhyw les.

Gallai newid ei gwrs coleg a mynd yn feddyg fel ei dad.

Gallai ddod 'nôl i ffermio, fel ei 'dad'.

'Unig uchelgais llanc o'r wlad
Yw torri cwys fel cwys ei dad.'

Does dim syndod bod golwg ddryslyd arno, druan.

*

– Ifan Bach, o'n i'n gwbod y delet ti'n ôl.

Pwy ddywedodd hynna? Esther? Jane? Oes ots?

– Dewch, bois bach! Ma' gwaith 'da ni i' neud!

Ifan Bach ddywedodd hynna, wrth dorchi llewys ei grys.

– Cer di i newid y dillad 'na'n gynta!

Esther Jenkins – pwy arall? – ddywedodd hynna.